As 7 linguagens do dinheiro não é um livro [...]
Em vez disso, constitui uma abordagem [...]
der a maneira inata como você lida com dinheiro. Provavelmente, você vai enquadrar-se em uma das sete linguagens. Este livro revela os benefícios e as armadilhas de cada uma delas, e uma leitura cuidadosa ajudará a despertar o máximo do seu potencial e a entender melhor os outros que se estruturam de modo diferente. Um conceito fascinante!

GARY CHAPMAN, Ph.D., autor de *As cinco linguagens do amor*

Você já se perguntou o motivo de agir como age quando lida com dinheiro? Por que não consegue economizar? Por que gasta tanto? Por que tem tanto receio de tudo o que se relaciona a dinheiro? Por que você empresta tanto a ponto de afetar a sua conta bancária? Por que é tão avarento? Ao tentar entender o motivo, você pode mudar para melhor. Este livro vai ajudá-lo a examinar profundamente a sua linguagem financeira atribuída por Deus. Quando você entende a sua linguagem, torna-se capaz de encontrar a paz financeira.

MICHELLE SINGLETARY, autora do livro *The 21-Day Financial Fast* [O jejum financeiro de 21 dias] e colunista de finanças pessoais do Washington Post

Conhecer Tommy Brown é conhecer um homem de sabedoria e coragem. Sua sabedoria é clara em cada página deste livro; sua coragem reflete-se em sua vontade de colocar em prática as palavras do antigo sábio que ensinou: "Quem é sábio? Sábio é aquele que aprende com qualquer pessoa". Muitos livros oferecem pouco ou nada. Outros são comoventes ou emocionantes. Mas este livro de Tommy Brown encontra-se em uma categoria rara: ele tem o poder de realmente mudar a sua vida para melhor. Prepare-se! O caminho que você trilhará nunca será o mesmo depois de ler (e estudar) esta obra-prima prática e espiritual.

Rabino ARTHUR KURZWEIL, professor e escritor

A percepção financeira de Tommy Brown e o seu entusiasmo pelo ensino de administração financeira são inegáveis! Em seu livro *As 7 linguagens do dinheiro*, ele ensina estratégias de saúde financeira, mas, além disso, ensina a entender a lógica ou as boas intenções por trás das decisões financeiras que nós e nossos entes queridos tomamos. Este é o livro sobre dinheiro que recomendo aos clientes que aconselho!

Shannon Warden, Ph.D., escreveu com o doutor Gary Chapman o livro *Things I Wish I'd Known Before We Became Parents* [Coisas que eu gostaria de ter descoberto antes de nos tornarmos pais]; professora assistente da Wake Forest University

De modo compassivo, com revelações bíblicas e exemplos pertinentes a sua experiência pastoral e profissional, Tommy Brown nos convence de que alinhar o modo como pensamos e nos sentimos acerca de dinheiro com a maneira como Deus nos estruturou leva à capacitação — a fim de fazer o bem no mundo e de cultivar relacionamentos, inclusive com aqueles que, pela vontade de Deus, possam enxergar o dinheiro de maneira diferente. Ele ensina a autotolerância e recorda que a saúde financeira não está baseada na quantia de dinheiro no banco, mas na motivação de nossas decisões, nossas esperanças, nossos sonhos e nossas parcerias.

Maria Henson, ganhadora do prêmio Pulitzer

Usando as sete linguagens financeiras da Bíblia como exemplos de administração do dinheiro, Tommy Brown apresenta um ensino bastante criativo sobre as possibilidades de bom uso do dinheiro que nos foi confiado. Você vai desfrutar deste livro e ser por ele motivado!

Doutor George O. Wood, superintendente-geral das Assembleias de Deus

As 7 linguagens do dinheiro faz para a vida financeira o mesmo que *As cinco linguagens do amor*, de Gary Chapman, faz para os relacionamentos pessoais. Se você deseja entender melhor por que sua relação com o dinheiro é tal qual se apresenta, a procura acabou. *As 7 linguagens do dinheiro* não só ampliará o seu autoconhecimento como também levará a uma apreciação mais minuciosa do modo exclusivo com que Deus constituiu cada um de nós. Ler este livro e perceber que sou do "tipo Jacó" mudou tudo para mim, financeiramente falando. Eu incentivo esta leitura. Você não se arrependerá.

Reverendo Austin Carty, que participou da série *Survivor* [Sobrevivente]; escritor do livro *High Points and Lows* [Altos e baixos]

As 7 linguagens do dinheiro, de Tommy Brown, é uma análise esclarecedora sobre a maneira como as pessoas reagem ao dinheiro e à riqueza. Li muitos livros sobre o assunto e administro finanças profissionalmente. A descoberta de Brown sobre atributos patrimoniais de personagens bíblicos importantes e seus aspectos obscuros deve atrair sofisticados gestores de ativos e administradores individuais. Vale a pena lê-lo, com certeza!

JAY HELVEY, sócio da Cassia Capital Partners LLC

Uma perspectiva diferente e revolucionária sobre a maneira como os cristãos podem pensar a fé e o dinheiro. Transcendendo às dicotomias desgastadas, Brown nos direciona a uma relação saudável com o dinheiro e com o patrimônio. Recomendo fortemente *As 7 linguagens do dinheiro*.

FRED BAHNSON, escritor de *Soil and Sacrament* [Solo e sacramento]; docente da Wake Forest University

Por meio do uso criativo de arquétipos bíblicos, Brown ajuda a perceber que a nossa relação com o dinheiro consiste em mais do que simplesmente gastar ou guardar. Ela espelha nosso relacionamento com Deus e com o próximo. Este livro traz sugestões práticas, mas, além disso, promove no leitor a compreensão de que a maneira como lidamos com o dinheiro constitui uma prática espiritual.

GAIL R. O'DAY, reitor e professor de Novo Testamento e de Homilética da Wake Forest University School of Divinity

Tommy Brown trouxe uma perspectiva singular da forma como Deus nos moldou para que sejamos administradores de recursos. À medida que se estuda a trajetória de sete personagens bíblicos, o próprio caminho financeiro torna-se mais claro.

LEIGHTON FORD, presidente do Ministério Leighton Ford

Tommy é um amigo próximo e uma das pessoas mais especializadas que conheço em sua área de atuação. Todos os que lerem este livro terão um grande benefício pessoal.

DAVID COOPER, pastor sênior da Mount Paran Church of God

As 7 linguagens do dinheiro

Título original: *The Seven Money Types*
Copyright © 2017 por Thomas Brown
Edição orginal por Zondervan.
Todos os direitos reservados.
Copyright da tradução © Vida Melhor Editora S. A., 2018.

As citações bíblicas são da Nova Versão Internacional (NVI), da Bíblica, Inc., a menos que seja especificada outra versão da Bíblia Sagrada.

Os pontos de vista desta obra são de responsabilidade de seus autores e colaboradores diretos, não refletindo necessariamente a posição da Thomas Nelson Brasil, da HarperCollins Christian Publishing ou de sua equipe editorial.

Publisher	*Omar de Souza*
Gerente editorial	*Samuel Coto*
Editor	*André Lodos Tangerino*
Assistente editorial	*Bruna Gomes*
Preparação	*Carla Morais*
Revisão	*Jean Xavier e Francine de Souza*
Projeto gráfico e diagramação	*Sonia Peticov*
Capa	*Rafael Brum*

CIP—BRASIL. CATALOGAÇÃO NA FONTE
SINDICATO NACIONAL DOS EDITORES DE LIVROS, RJ

B897s
Brown, Tommy
 As 7 linguagens do dinheiro : princípios para uma vida financeira frutífera / Tommy Brown ; traduzido por Maurício Bezerra Santos Silva. — 1. ed. — Rio de Janeiro: Thomas Nelson Brasil, 2018.
 240 p. ; 21 cm
 Tradução de *Seven money types*
 ISBN 978-85-7860-9757

 1. Negócios — Aspectos religiosos — Cristianismo.   2. Ética empresarial.   3. Liderança — Aspectos religiosos — Cristianismo.   4. Eficiência organizacional.   5. Comportamento organizacional — Aspectos religiosos — Cristianismo.   6. Empreendedorismo.   7. Riqueza — Aspectos morais e éticos.   I. Silva, Maurício Bezerra Santos.   II. Título.

17-46579   CDD: 261.85
                                                                           CDU: 2-67:336

Thomas Nelson Brasil é uma marca licenciada à Vida Melhor Editora, S. A.

Todos os direitos reservados à Vida Melhor Editora S.A.
Rua da Quitanda, 86, sala 218 — Centro
Rio de Janeiro — RJ — CEP 20091-005
Tel.: (21) 3175-1030
www.thomasnelson.com.br

Tommy Brown

As 7 linguagens do dinheiro

Princípios para uma vida financeira frutífera

Thomas Nelson
Brasil

*Dedico este livro à minha esposa, Elizabeth,
e aos nossos filhos, Seri e Seth, que representam o
melhor e o mais belo de tudo o que espero e estimo.*

Sumário

Agradecimentos • 13

Introdução • 17

CAPÍTULO UM
As sete linguagens financeiras da Bíblia • 21

CAPÍTULO DOIS
Linguagem nº 1: Abraão • Hospitalidade • 39

CAPÍTULO TRÊS
Linguagem nº 2: Isaque • Disciplina • 59

CAPÍTULO QUATRO
Linguagem nº 3: Jacó • Beleza • 85

CAPÍTULO CINCO
Linguagem nº 4: José • Conectividade • 108

CAPÍTULO SEIS
Linguagem nº 5: Moisés • Resistência • 135

CAPÍTULO SETE
Linguagem nº 6: Arão • Humildade • 158

CAPÍTULO OITO
Linguagem nº 7: Davi • Liderança • 187

CAPÍTULO NOVE
O caminho para a saúde financeira • 215

Conclusão • 227

Lembretes para discussões em grupo • 233

Notas • 235

Agradecimentos

O rabino Arthur Kurzweil abriu-me os olhos para a verdade. Ele é um amigo de confiança, e, como cristão, sinto-me honrado e feliz, uma vez que ele permite a este gentio chamá-lo de *rabino*. Também aprendi por que o apóstolo Paulo incentivou os ramos a não esquecerem a raiz, pois recebo tanta força, sabedoria e amor decorrentes da amizade, da formação acadêmica e da tradição religiosa desse homem. Se não fosse por ele, este livro não teria sido escrito.

Fred Bahnson acompanhou-me nos primeiros passos deste livro e acreditou no conceito. Sua contribuição e seu apoio foram valiosos.

Austin Carty foi o primeiro a sugerir-me a escrita de um livro sobre linguagens financeiras. Passei-lhe a ideia geral em um guardanapo durante um voo entre a Carolina do Norte e Connecticut. Em cinco palavras — "Isso dá um ótimo livro!" — ele fez nascer uma paixão dentro de mim. Além disso, acompanhou-me a cada passo da jornada. Ele também é um amigo fiel.

Chris, Gileah e o restante da família Taylor muito amaram e apoiaram a minha família, e isso sempre faz lembrar que não existe nada melhor que os bons amigos. Chris permanece uma companhia firme nas alegrias e nas aflições da vida.

Wendy Sherman, minha agente literária, deu-me apoio constante e incentivo, defendendo o projeto deste livro e ajudando a definir a sua direção.

Carolyn McCready, minha editora, extraiu deste manuscrito o seu potencial máximo e mais brilhante. Sinto-me inspirado por sua dedicação não somente aos escritores e ao material, mas também aos leitores que ela espera servir por meio de seu trabalho, que consiste em dar forma ao conteúdo.

Sem o apoio de marketing de Tom Dean, Keith Finnegan, e de sua equipe incrível na Zondervan, você não ficaria sabendo que este livro existe.

Os meus pais, Tom e Alisha Brown, sempre me incentivaram e estiveram dispostos a ler rascunhos intermináveis.

Kevin Frack dedicou tal atenção à minha vida que me ajudou a perceber o meu mais profundo chamado — o amor à escrita e ao ensino, interligando fé e finanças.

Hayes Henderson proporcionou um diálogo criativo e uma parceria inestimáveis.

Chris Lawson providenciou uma plataforma para que eu pudesse compartilhar meus escritos com outras pessoas e me ajudou a atender melhor ao meu público com conteúdo.

O rabino Mark Strauss Cohn e o doutor Clinton Moyer ajudaram-me a enxergar de forma mais clara os vários aspectos da Bíblia Hebraica.

Sandra Graff instilou em mim o amor pela palavra escrita quando eu fazia o Ensino Médio. Com seu entusiasmo pela literatura, passei a gostar de ler e de escrever.

Meu irmão, Christopher Brown, ajudou-me a analisar os resultados da avaliação do livro de maneira a fornecer orientação à trajetória deste instrumento.

T. J. Shaffer trouxe sabedoria e conhecimento que me ajudaram a manter o foco nos relacionamentos e nas coisas mais importantes da vida enquanto eu escrevia este livro.

AGRADECIMENTOS

Mark MacDonald foi fundamental em meu esclarecimento sobre o papel que este livro teria, o de ajudar as pessoas a resolver conflitos financeiros. Ele é o melhor que conheço para auxiliar igrejas e pessoas a alinhar-se com sua missão e com seu chamado em particular.

Eliane Tooley ajudou na edição e deu sugestões sobre a proposta deste livro.

Brett e Stephanie Eaton deram incentivo, apoio e sugestões sobre o manuscrito nos estágios iniciais e de preparação.

Allen Vesterfelt fez a apresentação gráfica e o design do livro.

A sabedoria, os comentários e a habilidade da doutora Shannon Warden foram fundamentais para o desenvolvimento dos estudos.

Sou extremamente grato pela confiança e pelo apoio do doutor Gary Chapman neste material. Aprecio muito o conhecimento que obtive de suas décadas de ministério e de literatura.

Rich Wall e Matt Canter tiveram papel especial neste livro. Eles me ajudaram a preparar estratégias criativas que me permitiram trabalhar em tempo integral, cumprir o meu papel de pai e de marido e dedicar tempo à pesquisa deste material de uma maneira financeiramente responsável.

Doutor Mike e Darla Rakes me encorajaram, como pastor, a continuar a observar e a comunicar as inúmeras conexões entre Deus e o dinheiro.

Agradeço aos meus amigos e colegas da Wake Forest University o apoio a este projeto e a incorporação do profundo e verdadeiro lema de *Pro Humanitate*.

Estes que cito a seguir caminharam comigo por dois meses como leitores, parceiros nos diálogos e apoiadores, enquanto explorávamos este livro juntos. Suas sugestões e seu incentivo permitiram ajustar o livro de modo significativo: Kristen Edgar, Joseph Bullin, Cassie Pruitt, doutor Matt e Michelle Ravish, Nathaniel e Meredith Branscome, Kent e Bonnie Gravely, além de Ashley e Felix Reyes.

Introdução

Ansiamos por saúde financeira — a capacidade de lidar com os recursos de modo a refletir a nossa identidade mais profunda, sem abdicar de pensamentos financeiros, emoções e atitudes saudáveis. Essa experiência de bem-estar financeiro é possível quando compreendemos como Deus nos criou segundo uma de sete formas de lidar com dinheiro. Eu as chamo de sete linguagens do dinheiro.

A saúde financeira vai além de um alto salário ou da capacidade de equilibrar o orçamento e de comprar o que desejamos. Sabemos disso porque, seja qual for a quantia a passar por nossas mãos, constantemente enfrentamos conflitos financeiros, medos e ansiedade. Esses conflitos são complexos e se manifestam em todas as áreas da vida — relacional, profissional, física, espiritual e emocional.

Se buscamos uma autêntica saúde financeira, temos de olhar para dentro de nós; precisamos olhar para Deus. Devemos fazer mais do que equilibrar o orçamento, guardar dinheiro na poupança e investir no futuro. Precisaremos parar de lutar por aquilo que não temos e entender mais profundamente quem somos, além de ampliar a nossa consciência a respeito de como e por que nós (e outros) pensamos, sentimos e agimos de determinado modo com relação a dinheiro.

O bem-estar nas finanças não se baseia em quantias — se temos muito ou pouco —, mas sim na compreensão e no reconhecimento do modo como nos relacionamos com o dinheiro; do contrário, podemos ter uma imensa riqueza, mas nunca desfrutar dela.

Experimentei o poder de entender as linguagens financeiras por conta própria. Não elaborei as ideias em nenhum laboratório e em nenhuma clínica. Não sou nem cientista nem psicólogo. O conceito surgiu da prática diária como pastor, especialista e educador na área de administração financeira, sempre aprendendo mais sobre as formas particulares e ilimitadas com que Deus nos estruturou para nos relacionarmos com o dinheiro. O objetivo é ajudar você a fazer parte da obra do Espírito Santo e das Escrituras, para que possa analisar de forma aprofundada a sua relação interna com o dinheiro, a fim de experimentar a saúde financeira.

As 7 linguagens do dinheiro não contém nada de novo, embora seja pouco provável que você tenha refletido sobre a sua relação com o dinheiro como está prestes a fazer. Na verdade, esse processo baseia-se em uma das histórias mais antigas da Bíblia sobre a existência humana: os acontecimentos no jardim do Éden. Essa história envolve a nossa essência. Nas próximas páginas, vamos explorar um antigo caminho bíblico que leva a resolver nossos mais profundos conflitos financeiros e que esclarece a razão pela qual nos relacionamos com o dinheiro como fazemos, possibilitando-nos maior propósito e impacto em nossa vida financeira.

A nossa relação intuitiva com o dinheiro diz algo sobre a maneira como Deus nos criou. Em outras palavras, os momentos de dificuldade financeira, outros em que você desfruta do dinheiro, bem como suas emoções a respeito dele, além dos momentos em que desejaria uma situação financeira diferente — tudo isso revela o que importa ser observado em si mesmo e ao que você deve prestar atenção. Sua linguagem financeira procura dizer-lhe algo.

No momento em que os seus olhos se abrem para os princípios revelados pelas linguagens financeiras, seu relacionamento com Deus e com o dinheiro é transformado. Essas lições simples, porém profundas, trazem as percepções necessárias para manter a confiança e a tranquilidade em qualquer situação financeira e para entender, finalmente, as razões pelas quais você pensa, sente e age de certo modo com relação ao dinheiro.

Vamos começar, a fim de que você identifique sua própria linguagem financeira, projetada por Deus, e nela se desenvolva.

CAPÍTULO UM

As sete linguagens financeiras da Bíblia

Por praticamente dez anos conversei com amigos, pastores, professores e consultores financeiros sobre a minha teoria, segundo a qual Deus criou cada ser humano com uma linguagem financeira específica.

Desenvolvi várias hipóteses de identificação dessas linguagens financeiras e, como um pastor buscando maneiras de transmitir essas importantes verdades para outros, pesquisei profundamente as Escrituras em busca de personagens bíblicos que representassem melhor as diversas linguagens financeiras que observei em meu trabalho diário na área de fé e finanças.

Enquanto ministrava cursos de administração financeira, tanto congregacionais quanto acadêmicos, atentei às diferentes formas de sentir, pensar e agir das pessoas com relação a dinheiro. Notei que frequentemente as pessoas se sentem culpadas por não pensarem como outras a respeito de finanças. Sempre ouvi expressões como: "Eu não sou bom com dinheiro". Ao mesmo tempo, pude observar como é comum que algumas pessoas se sintam superiores pelo fato de lidarem com recursos similarmente ao que se verifica na cultura prevalecente, quanto ao que se define como *sucesso financeiro*. Elas eram "boas" com dinheiro.

Curiosamente, a maioria das pessoas tinha a tendência de pensar que existe somente uma — ou talvez duas — maneira "correta" de lidar com dinheiro. No entanto, eu acreditava que existiam mais maneiras "corretas" de relacionar-se com o dinheiro e que isso estava intimamente ligado ao modo como Deus nos criou. Comecei a ler e a estudar o assunto com mais afinco.

Em dado momento, meus estudos teológicos exigiram que eu fizesse um curso sobre judaísmo, o qual foi ministrado em Falls Village, no estado do Connecticut. Naquele local, sem saber que se tratava de um dos principais pensadores judeus, conheci o rabino Arthur Kurzweil, que se tornou um amigo próximo e um parceiro de diálogo. Nossa afinidade foi clara desde o início; em poucas horas, compartilhei minha crença de que Deus criou os homens à sua imagem e, assim, o modo especial com que cada um de nós foi feito à imagem de Deus afeta a maneira como lidamos com dinheiro.

O rabino Kurzweil escutava e sorria. Eu não sabia se o seu sorriso indicava que eu era um herege total e que ele estava prestes a destruir a minha teoria, ou se eu realmente havia descoberto algo importante. Quando partilhei a minha tese de que personagens bíblicos como Abraão, Moisés e Davi representavam linguagens financeiras que exemplificam e esclarecem alguns aspectos do que significa ser criado à imagem de Deus, ele se reclinou e sussurrou: "Os personagens que você está procurando já foram escolhidos. Há muito tempo eles foram selecionados. Você não enlouqueceu". Naquele momento, ele atraiu minha atenção por completo.

Conversamos até tarde da noite. Além de confirmar a validade das minhas impressões e da minha pesquisa, também descobri que, de longa data, adeptos do judaísmo cultivam, como parte de sua tradição religiosa, a crença de que os vários aspectos da imagem de Deus revelam-se em sete personagens bíblicos: Abraão,

Isaque, Jacó, José, Moisés, Arão e Davi. Eles são fundamentais e marcantes na Bíblia, pois a vida de cada um traz algo relevante sobre o significado da natureza humana e da criação à imagem de Deus. Eles representam o que desejamos alcançar.

Algumas vertentes da tradição judaica afirmam que, por meio de suas vidas e histórias, cada um desses personagens leva a uma compreensão mais clara de um aspecto específico do que significa ser criado à imagem de Deus. Nesse ponto em comum, essa tradição mesclou-se com a minha teoria e com a minha experiência em administração financeira e em *coaching*. Os sete personagens bíblicos, que representam sete aspectos da imagem de Deus, são as sete linguagens financeiras, pois, como logo você vai descobrir, a Bíblia ensina que ser criado à imagem de Deus é administrar adequadamente a Criação e os seus recursos, inclusive o dinheiro.

Como cristão, alguns dos meus pontos de vista certamente são diferentes dos da tradição judaica; mesmo assim, pude identificar áreas comuns e autênticas nesse conceito judaico, as quais elucidaram a minha abordagem, a fim de esclarecer e entender as sete linguagens do dinheiro.

Nos anos seguintes, estudei a vida dos sete personagens, selecionando e extraindo princípios que se alinhavam com a minha fé e com a minha experiência na tradição cristã. Observar os sete personagens bíblicos sob a perspectiva das linguagens financeiras reforçou a minha experiência no ministério pastoral, no *coaching* financeiro e no estudo da Bíblia: as pessoas relacionam-se com o mundo ao seu redor (incluindo o dinheiro) de sete maneiras básicas, as quais têm como modelo sete personagens. Individualmente, cada uma das sete personalidades inspira-nos a adotar a plenitude do que significa ser feito à imagem de Deus, especialmente no que diz respeito à vida financeira. Quando combinadas, elas compõem um retrato impressionante e inspirador da imagem de Deus refletida no homem — a vida com Deus que sempre desejamos.

Agora, descobri que a chave para a saúde financeira é parar de lutar por aquilo que não se tem e buscar conhecer-se mais intimamente, segundo o desígnio de Deus, para, em seguida, começar a jornada. Assim, à medida que se amadurece na vida espiritual, a percepção sobre a maneira de lidar com dinheiro será mais profunda. E, ao lidar com dinheiro de um jeito diferente, a experiência de fé também se aprofunda. Uma influencia a outra, pois assuntos financeiros constituem uma das principais áreas em que aprendemos a confiar em Deus. Ele e o dinheiro começarão a trabalhar juntos para expressar os anseios de sua alma, já que Deus usa a relação do indivíduo com as finanças para trazer esperança e cura ao mundo.

As sete linguagens do dinheiro e a imagem de Deus

Esta jornada para a descoberta da sua linguagem financeira e para a aquisição de bem-estar nas finanças tem início em uma parte bem conhecida da história judaico-cristã. Os judeus antigos preservaram uma história que revela como Deus criou os homens conforme o que chamamos de *imago Dei*, a imagem de Deus.

> Então disse Deus: "Façamos o homem à nossa imagem, conforme a nossa semelhança. Domine ele sobre os peixes do mar, sobre as aves do céu, sobre os grandes animais de toda a terra e sobre todos os pequenos animais que se movem rente ao chão". Criou Deus o homem à sua imagem, à imagem de Deus o criou; homem e mulher os criou. Deus os abençoou, e lhes disse: "Sejam férteis e multipliquem-se! Encham e subjuguem a terra! Dominem sobre os peixes do mar, sobre as aves do céu e sobre todos os animais que se movem pela terra". (Gênesis 1:26-28).

Surpreendentemente, os seres humanos são feitos à imagem de Deus. O microcosmo da vida humana reflete o macrocosmo da realidade divina; em outras palavras, a pequenez da nossa vida retrata, de certa forma, a grandeza de Deus. Isso é um mistério, e este é o ponto exato pelo qual temos de começar, o ponto de vista bíblico, se esperamos descobrir como fomos criados para nos relacionar com o mundo ao redor, especialmente com o dinheiro.

Os seres humanos criados à imagem de Deus tinham como tarefa multiplicar-se e cuidar da Criação e dos seus recursos, dentre eles o dinheiro. Para todo o sempre, a realização do ser humano — uma sensação de paz e de plenitude — seria vinculada à eficiência dedicada a essa tarefa. Por meio dela, a *imago Dei* povoaria toda a terra, com o amor e a luz de Deus por todos os lugares, o tempo todo.

Essa imagem foi, porém, danificada no momento em que os nossos primeiros pais transgrediram os caminhos de Deus ao usar os recursos (quem poderia esquecer-se daquele fruto proibido?) em discordância com o desejo mais profundo de suas almas — conhecer Deus e amá-lo para sempre. O modo como lidaram com os recursos afetou o relacionamento com Deus. Desde aquela época, Deus tem trabalhado para restaurar a *imago Dei* e para consertar o mundo usando a relação da humanidade com os recursos para estruturar a fé nele e, também, como expressão do seu amor e do seu cuidado com o mundo. O escritor judeu Leonard Fein cuidadosamente expressou o nosso desafio quando escreveu: "Somos chamados a ver beleza na imperfeição, a acreditar na restauração e a sentirmo-nos parte dessa restauração. Somos chamados para atuar como reparadores".[1]

A história prossegue; com o passar dos séculos, Deus usou sete indivíduos para pastorear o seu povo e para trazê-los de volta ao seu caminho: Abraão, Isaque, Jacó, José, Moisés, Arão e Davi. Com suas vidas e seus ensinos, eles levaram uma mensagem especial para a terra, a fim de fazer lembrar a humanidade da essência da vida com Deus, isto é, da criação à imagem dele. Cada um dos sete personagens revelou um dos sete aspectos do que significa ser feito à imagem de Deus. Eles orientaram o povo de Deus rumo ao futuro, que correspondia, na realidade, a uma restauração do que havia de melhor em seu passado, daquilo que foi perdido no Éden.

Cada um deles destaca um aspecto específico do que representa ser feito à imagem de Deus:

- Abraão traz a hospitalidade de Deus.
- Isaque demonstra a disciplina de Deus.
- Jacó reflete a beleza de Deus.
- José retrata a conectividade de Deus.
- Moisés manifesta a firmeza de Deus.
- Arão expressa a humildade de Deus.
- Davi influencia-se com a liderança de Deus.

Embora a vida de cada um deles demonstre um aspecto da imagem de Deus de um jeito único e claramente identificável, nenhum personagem integrou ao máximo todos os aspectos da imagem divina. Eles trouxeram vislumbres, mas nenhum representou a totalidade do significado de ser feito à imagem de Deus.

Se a plenitude de cada um dos sete aspectos da imagem de Deus fosse alcançada, contemplaríamos a totalidade do potencial humano. Tanto na tradição judaica quanto na cristã, ela se verifica na pessoa do Messias. Nenhum de nós é perfeito, portanto, cada um é necessário para a raça humana, a fim de proporcionar uma imagem mais clara da pessoa de Deus e da essência da vida com ele. O apóstolo Paulo a expressa deste modo:

> Ora, assim como o corpo é uma unidade, embora tenha muitos membros, e todos os membros, mesmo sendo muitos, formam um só corpo, assim também com respeito a Cristo. Pois em um só corpo todos nós fomos batizados em um único Espírito: quer judeus, quer gregos, quer escravos, quer livres. E a todos nós foi dado beber de um único Espírito. O corpo não é feito de um só membro, mas de muitos. Se o pé disser: "Porque não

sou mão, não pertenço ao corpo", nem por isso deixa de fazer parte do corpo. E se o ouvido disser: "Porque não sou olho, não pertenço ao corpo", nem por isso deixa de fazer parte do corpo. Se todo o corpo fosse olho, onde estaria a audição? Se todo o corpo fosse ouvido, onde estaria o olfato? De fato, Deus dispôs cada um dos membros no corpo, segundo a sua vontade. Se todos fossem um só membro, onde estaria o corpo? Assim, há muitos membros, mas um só corpo (1Coríntios 12:12-20).

Não somos todos cristãos ou judeus, mas, em um sentido mais amplo, somos todos parte de um corpo maior da humanidade. Todos nós — cristãos, judeus, budistas, muçulmanos e aqueles de outras crenças ou sem nenhuma crença, como os ateus e os agnósticos — somos feitos à imagem de Deus. Esse fato não é estipulado por denominação ou credo religioso, mas por próprio desígnio e iniciativa de Deus.

Todos refletimos a imagem de Deus, de uma forma ou de outra, e temos uma linguagem financeira. No entanto, para os propósitos deste livro, o material é voltado a um entendimento judaico-cristão sobre fé e dinheiro, demonstrando a necessidade de identificar e de adotar uma linguagem financeira para adquirir bem-estar nas finanças e maturidade espiritual à luz das crenças e das tradições apresentadas.

A maneira como fomos criados à imagem de Deus afeta a maneira como nos relacionamos com o que temos. Curiosamente, quando estudamos com mais afinco as histórias bíblicas de cada um dos sete pastores, observamos que cada um deles se relaciona com seus recursos segundo o aspecto da imagem de Deus que ele representa. Por exemplo, Abraão representa a hospitalidade, e quase sempre o vemos usar seus recursos de um jeito hospitaleiro. Isaque é diferente; procura tirar dos recursos o máximo proveito possível. Ele é um maximizador disciplinado em todos os sentidos. O mesmo se aplica aos outros cinco personagens bíblicos — cada um se relaciona com seus recursos conforme o aspecto da imagem divina que ele simboliza.

Isso faz bastante sentido na perspectiva bíblica, pois ser feito à imagem de Deus é cuidar adequadamente dos seus recursos e da Criação (Gênesis 1:28).

A relação dos personagens com seus recursos derivou do aspecto singular da imagem de Deus representado por cada um deles. Para o propósito desta leitura, portanto, eles demonstram as sete maneiras básicas pelas quais a imagem de Deus se revela na terra, segundo o tratamento que dedicamos aos recursos.[2]

A imagem de Deus revelada ao mundo

As Escrituras convidam-nos a entrar na história. Acabamos de receber o convite e a missão de revelar a imagem de Deus ao mundo; para fazer isso, temos de identificar e desenvolver a nossa relação com o dinheiro, desvendando nossa linguagem financeira e evoluindo com ela. Se alinharmos nosso modo de pensar, de sentir e de agir com a maneira como Deus nos criou, seremos seus parceiros, pelo uso do dinheiro, a fim de impactar o planeta.

Cada um dos sete personagens bíblicos exibe alguma virtude que esperamos obter; cada um deles representa algo maior do que a vida — algo que imitamos e que sabemos, intimamente, tratar-se de um estilo de vida melhor e mais holístico. No entanto, apesar de desejarmos evoluir em todos os aspectos do que significa ser feito à imagem de Deus, nossa alma geralmente está propensa a seguir um dos sete caminhos no que se refere a Deus e ao dinheiro.

Somos atraídos pela história de um personagem específico porque ela é, de algum modo, a nossa história. É como se a nossa alma cantasse em harmonia com a melodia de uma dessas histórias. Por exemplo, talvez você sempre se identifique com Davi. Agora, entenderá o motivo.

Nunca se esqueça de que ninguém é puramente de um só tipo, e isso é proposital. De vez em quando, muitas pessoas identificam-se similarmente com mais de uma linguagem. Por exemplo, você pode descobrir que se identifica igualmente com as linguagens de Abraão e de Arão.

Todas as linguagens, de um modo ou de outro, entram em ação em nossa vida. Elas participam da nossa experiência quando da relação com o mundo e com os seus recursos; devemos entendê-las e progredir em cada uma delas. No entanto, na maioria das vezes, você terá mais afinidade com uma linguagem financeira em particular.

Outros fatores que afetam as perspectivas sobre dinheiro

Deus não é o único que moldou nossos pensamentos e nossas ações no que diz respeito a dinheiro. Nossa maneira de lidar com dinheiro também é moldada por nossos relacionamentos mais próximos. Adotamos práticas e modelos, ou formas de pensar o mundo, com base nesses importantes vínculos.

Deus exclusivamente nos moldou para que nos relacionássemos com a Criação e com os recursos dela, mas, se assim permitirmos, ele também trabalhará com as matérias-primas da nossa vida — tanto a genealogia quanto as experiências mais recentes — para formar a nossa melhor versão, de modo que façamos o melhor uso possível do dinheiro. A obra de Deus tece a trama da nossa história. Mesmo tendo vindo ao mundo com certas propensões e tendências, as experiências vividas ao longo do caminho causam impacto e definem essas qualidades intrínsecas.

Ao começarmos esta jornada juntos, o passo mais importante é o que vem a seguir, e ele parte do lugar em que você se encontra. Você levará para o passo seguinte todo o seu ser, as suas mais profundas inclinações, inspiradas por Deus, além de experiências anteriores. Na verdade, não há possibilidade, nem motivo, de separar a maneira como Deus o criou da maneira como a vida o moldou — você é o que é, e Deus esteve trabalhando em tudo isso.

A busca para entender a motivação

Enquanto estudamos as várias linguagens do dinheiro, tenha em mente um princípio importante: queremos entender a *motivação* que nos leva a lidar com dinheiro da maneira como fazemos, e ela vem das nossas crenças básicas sobre finanças. Por exemplo, todos os tipos (linguagens) financeiros podem contribuir para uma causa, mas cada um deles terá uma motivação diferente. Todos fazem compras; entender, todavia, *por que* cada tipo aborda o processo de compra de um jeito, considerando as emoções e os pensamentos envolvidos, garante uma percepção mais aprofundada do modo como Deus nos formou. Basicamente, estamos a observar os pensamentos e as emoções que causam impacto na forma de lidar com dinheiro, pois assim teremos uma noção de como Deus nos criou com exclusividade. Por fim, esse entendimento ampliará a sensação de bem-estar financeiro.

As linguagens e o seu lado obscuro

Outro importante fator deve ser compreendido se quisermos adquirir bem-estar financeiro: cada linguagem tem o que costumo chamar de lado obscuro. Embora os sete personagens bíblicos propiciem uma ideia mais clara de Deus e de como a vida pode ser com ele, todos tinham graves falhas oriundas do lado obscuro de suas vidas, e essas falhas afetavam sua maneira de lidar com os recursos. Por exemplo, Isaque representa a disciplina; seu tipo de relação com os recursos vinha de uma mentalidade disciplinada — ele buscava maximizar tudo o que tinha. Seu lado obscuro era o medo, e, em virtude desse medo, ocasionalmente ele se preocupava em como Deus providenciaria os recursos. Quando o lado obscuro do medo é combinado com uma mentalidade disciplinada, o potencial de ganância torna-se muito real. A tentativa rigorosa de maximizar os recursos pode transformar-se em acumulação, e o medo transforma a tendência à disciplina em ganância. Mesmo assim, apesar do lado obscuro de cada um deles, Deus os acompanhava em cada passo da jornada. Desse modo, nós também temos a chance de crescer e de evoluir.

O lado obscuro é uma oportunidade de amadurecer quanto a finanças. Ao estudar as sete linguagens, você aprenderá com os problemas e fracassos apresentados. Verificar como o lado obscuro do personagem se concretiza ajuda a adquirir mais consciência sobre o próprio lado obscuro, de modo a prevenir-se contra essas tendências.[3] Quanto mais aprendemos a identificar, a entender e até a antecipar o nosso lado obscuro, mais temos condição de impedir que ele afete a nossa outrora saudável relação com Deus e com o dinheiro. O lado obscuro de cada linguagem entra em conflito com a luz da imagem de Deus na tentativa de sobressair; a virtude e o vício estão sempre em conflito em cada uma das linguagens e ao redor delas, e o mesmo se aplica a cada um de nós. Essa é uma das razões por que geralmente temos conflitos emocionais internos e divergências externas com outras pessoas no que diz respeito ao dinheiro.

Como estamos rodeados de mensagens nocivas sobre dinheiro, provenientes da cultura prevalecente e de pensamentos equivocados, pode ser difícil reconhecer nosso lado obscuro. Talvez os nossos olhos estejam adaptados à escuridão a ponto de estarmos acostumados a ela, sem a percepção de que existe um caminho iluminado justamente além da nossa consciência. Espero que a seção correspondente ao lado obscuro do seu tipo de linguagem financeira ajude-o a enxergar o seu próprio lado obscuro com mais clareza.

A percepção de Deus
nas outras linguagens financeiras

A linguagem financeira de uma pessoa influencia o modo como ela pensa, sente ou age com relação ao dinheiro. É importante desenvolver a habilidade de detectar as outras linguagens financeiras que atuam na vida daqueles ao seu redor — tanto as qualidades quanto o lado obscuro —, pois só assim será possível estabelecer um relacionamento melhor com eles.

Talvez você, do mesmo modo que eu, tenha aprendido que todos devem lidar com dinheiro de certas maneiras. Em vez de descartar os pensamentos, as emoções ou o comportamento de alguém tidos como irracionais, você pode usar as informações deste livro para ajudá-lo a considerar a forma de expressão dessa pessoa — boa ou ruim —, a singularidade da imagem de Deus inserida em sua linguagem financeira ou, talvez, de que modo o seu lado obscuro tem gerado conflitos. Mesmo que seja tentador ler somente sobre a linguagem que você entende como a sua, será útil estudar cada uma delas, de modo a preparar-se para compreender melhor seus amigos, parentes e colegas. Além disso, você foi criado para crescer em todas as linguagens, amadurecendo a sua relação com Deus e com o dinheiro, pois cada uma delas é importante para a sua maturidade espiritual e financeira e para o desenvolvimento pessoal como um todo.

Todas as linguagens do dinheiro incorporam aspectos maravilhosos e desafiadores, portanto, entender a atuação de uma linguagem pode esclarecer muito uma situação, restaurando relacionamentos e abrindo espaço para várias possibilidades de uso do dinheiro e de trabalho em conjunto. A intensidade com que nos envolvemos em nossa linguagem financeira e evoluímos com ela determina se estamos aptos a derrotar nossos conflitos financeiros internos e relacionais.

Além do básico

Por muito tempo, disseram-nos que devemos nos relacionar com dinheiro de certas maneiras. Instintivamente sabíamos, porém, que existe algo maior em nossa relação com Deus e com o dinheiro do que apenas economizar, gastar e doar, maior do que a riqueza ou do que a pobreza. Não somos tão simples. Somos divina e diversamente concebidos, capazes de compreender a nós mesmos com um pouco mais de clareza, não por um enquadramento em mantras ou em categorias financeiras aleatórias, que informam como nos relacionamos com o dinheiro, mas sim por um olhar mais atento a Deus e a Palavra dele; e, assim, a maneira como somos feitos à sua imagem indica como nós — e outros — lidamos com dinheiro.

Você já separou algum tempo para refletir sobre a sua vida? E para ouvir a voz de Deus na sua vida e por meio dela? Para ouvir o que Deus tem a dizer sobre o modo como você foi por ele criado? Por ele idealizado? Será que o seu sentimento e a sua relação com o dinheiro poderiam ser parte do propósito de Deus? E você está disposto a evoluir em sua relação com Deus e com o dinheiro enquanto assume esse propósito e amadurece nesse desígnio divino? Está preparado para ver o dinheiro como um meio ou como uma ferramenta pela qual pode expressar as suas motivações mais profundas e mais centradas em Deus?

O objetivo deste livro não é dar conselhos práticos sobre o que você pode fazer com o seu dinheiro. Procure um profissional certificado para aprender a doar, a economizar, a gastar e a investir suas finanças. Não sou um corretor financeiro especializado (ainda que tenha trabalhado com eles); sou estudante da Bíblia com um coração de pastor que, como você, acredita que a vida tem mais sentido à luz de Deus e de sua revelação nas histórias da Escritura. No entanto, você aprenderá muito mais sobre o seu perfil financeiro. É esperado que surjam outras dúvidas — e algumas respostas úteis — enquanto você cultiva um relacionamento mais próximo com Deus e adquire mais tranquilidade em sua relação com o dinheiro.

Descubra a sua linguagem financeira: o teste das sete linguagens financeiras

O teste foi criado para ajudá-lo a discernir a(s) maneira(s) pela(s) qual(is) você reflete mais claramente a imagem de Deus no que diz respeito a finanças. Você é especialista em si mesmo, então veja o teste como uma ferramenta para colocá-lo na direção certa, mas, em última instância, confie no que conhece a respeito de si mesmo ao ler os capítulos. Você saberá quando encontrar a sua linguagem.

Reflita cuidadosamente sobre as afirmações a seguir. Para cada afirmação, escreva uma resposta no espaço reservado que indique com exatidão o quanto você se identifica com ela. Tente responder às perguntas com base em seus instintos mais naturais, sem considerar sua necessidade de adaptação diante das circunstâncias da vida. Além disso, não se preocupe com a resposta correta, com a forma como *deve* responder ou com o modo como *gostaria* de responder. Você foi formidavelmente criado, portanto não há necessidade de representar um papel.

TESTE DAS LINGUAGENS FINANCEIRAS

Escala de classificação
0 = raramente
1 = às vezes
2 = frequentemente
3 = quase sempre

TESTE

☐ 1. Gosto muito de elaborar orçamentos.
☐ 2. Geralmente, invisto o meu dinheiro com o intuito de abençoar as pessoas e de fazer com que se sintam especiais.
☐ 3. Meu foco é encontrar maneiras de maximizar o meu dinheiro.
☐ 4. Tenho planos de preparar a próxima geração para que ela obtenha sucesso financeiro.
☐ 5. Gosto, talvez mais do que a maioria, de gastar dinheiro em refeições ou em atividades que me possibilitem conhecer pessoas.
☐ 6. Quando vejo alguém enfrentar necessidades financeiras, tenho de fazer algo a respeito.
☐ 7. Se eu não tiver cuidado, gasto mais do que deveria em presentes ou acolhendo os outros.
☐ 8. Sou muito organizado com o meu dinheiro.
☐ 9. Uso os meus recursos para criar lindos ambientes e belas experiências.
☐ 10. Perco o ânimo quando faço planos financeiros a longo prazo.
☐ 11. Passo mais tempo pensando no que é possível financeiramente do que na minha situação financeira atual.
☐ 12. Quando sou convidado para uma reunião, gosto muito de contribuir de um jeito significativo.
☐ 13. Desde que eu não gaste demais, faço coisas excelentes.
☐ 14. Gosto muito de compartilhar meus sonhos e meus planos com as pessoas.
☐ 15. Sou um negociador exigente que tenta obter a melhor oferta.
☐ 16. Quando vejo alguém em necessidade, sinto-me mal por ter tanta coisa.

- [ ] 17. Na família ou entre amigos, sou visto como alguém que sabe lidar com dinheiro.
- [ ] 18. Tenho uma visão clara do meu futuro financeiro ideal.
- [ ] 19. Gasto o mínimo possível porque isso me faz sentir mais seguro.
- [ ] 20. Estou envolvido em muitos projetos, em grupos ou em ações beneficentes na minha comunidade.
- [ ] 21. Tenho dificuldade de aceitar a generosidade dos outros.
- [ ] 22. Quanto a dinheiro, sempre tenho uma visão clara a longo prazo.
- [ ] 23. Gosto de motivar as pessoas a fazer doações em prol de algum projeto.
- [ ] 24. Minha atenção está sempre voltada a objetos e a experiências que desejo conseguir.
- [ ] 25. Se eu ganhasse R$ 1.000,00 sem precisar, estaria fortemente inclinado a pagar uma conta ou a quitar alguma dívida.
- [ ] 26. Fico motivado ao imaginar alternativas financeiras a longo prazo para a minha vida pessoal ou para a minha empresa.
- [ ] 27. Estou sempre em busca de novas maneiras de ganhar dinheiro.
- [ ] 28. Só planejo minhas finanças o suficiente para ir em frente.
- [ ] 29. Sou firme e consistente quanto ao uso do dinheiro.
- [ ] 30. Gosto de estabelecer parcerias em projetos ou em propostas de negócio, mesmo que não sejam da minha área de atuação.
- [ ] 31. Não vejo problemas em gastar dinheiro comigo.
- [ ] 32. Quando se trata de dinheiro, penso: "Deste mundo nada se leva".
- [ ] 33. Quando faço uma compra, preocupo-me mais em comprar o que desejo do que em aproveitar a melhor oferta.
- [ ] 34. Os outros me veem como alguém que pode ajudá-los a estabelecer um contato importante com outra pessoa ou com outro grupo.
- [ ] 35. Sempre coloco os meus desejos em último lugar.

As sete linguagens financeiras estão listadas a seguir. Escreva a pontuação que atribuiu a si mesmo ao lado de cada número referente a uma pergunta. Por exemplo, se atribuiu nota 2 à pergunta 7, escreva 2 no espaço ao lado da pergunta 7, a seguir, que se enquadra na linguagem financeira de Abraão. Depois, calcule o total das respostas para cada uma das linguagens.

NOTAS

Abraão	Isaque	Jacó	José	Moisés	Arão	Davi
2.	3.	9.	5.	1.	6.	4.
7.	15.	13.	14.	8.	10.	11.
12.	19.	24.	20.	17.	16.	18.
21.	25.	31.	30.	22.	28.	23.
35.	27.	33.	34.	29.	32.	26.
Total:	Total:	Total:	Total:	Total:	Total:	Total:

Os totais anteriores refletem o quanto você se identifica com cada linguagem. Agora, transfira esses totais para a tabela seguinte. Assim, será possível ter um retrato mais completo de como você reflete cada uma das sete linguagens do dinheiro.

Pontuação	Tipo	Aspecto da imagem de Deus	Lado obscuro
	ABRAÃO	Hospitalidade	Autossuficiência
	ISAQUE	Disciplina	Medo
	JACÓ	Beleza	Autossatisfação
	JOSÉ	Conectividade	Manipulação
	MOISÉS	Persistência	Impaciência
	ARÃO	Humildade	Instabilidade
	DAVI	Liderança	Egoísmo

A maior pontuação na tabela anterior indica a sua linguagem financeira mais evidente. Se houver mais de uma pontuação alta, significa que você se identifica fortemente com mais de uma linguagem, o que é totalmente possível e absolutamente normal. Você está em busca de suas mais marcantes inclinações, e não necessariamente de uma classificação clara. Além disso, tenha interesse por suas notas mais baixas. É provável que elas representem as áreas nas quais você experimente mais conflitos internos e relacionais quanto a dinheiro. Curiosamente, a linguagem com a qual menos nos identificamos é a que traz o maior potencial de crescimento pessoal e de equilíbrio interior. Lembre-se: você está buscando não somente a sua linguagem monetária mais forte, mas também o aprendizado e a evolução em outras delas. As diferentes linguagens possuem qualidades únicas, as quais vão ajudá-lo a amadurecer nas áreas em que você deseja crescer em relação ao dinheiro.

Finalmente, pode ser útil visualizar a classificação das suas linguagens conforme a intensidade com que você reflete cada uma. Relacione a seguir os seus resultados, do maior ao menor. Se houver empate, liste um após o outro, em qualquer ordem. Você pode revisar esses dados posteriormente, caso sinta que um deles é, de fato, mais evidente que outro.

Pontuação	Tipo	Aspecto da imagem de Deus	Lado obscuro

CAPÍTULO DOIS

Linguagem n° 1

Abraão: Hospitalidade

[...] *e o abençoarei [...] e por meio de você todos os povos da terra serão abençoados.*

Gênesis 12:2-3

O homem idoso estava sentado à entrada de sua tenda, o sol quase a pino, com o dia cada vez mais quente. Ele viu 100 anos se passarem; ainda assim, essas pequenas horas eram repletas de potencial. Abraão tinha uma promessa — uma promessa de Deus: "Eu a abençoarei [a sua mulher Sara] e também por meio dela darei a você um filho" (Gênesis 17:16). Mas Deus foi embora depois de fazer essa promessa aparentemente impossível; assim, Abraão sentou-se à entrada de sua tenda, como todos os idosos fazem, pensando nos dias que se passaram e esperando que lhe restasse tempo suficiente para ver a concretização de seus sonhos.

Então, ele os viu; três homens estavam próximos o bastante da sua tenda para que ele soubesse que eram mensageiros de

Deus, mas longe o suficiente para que ele desejasse alcançá-los. Andando, depois correndo, o velho sábio recebeu os mensageiros, curvando-se diante deles e dizendo:

> Meu senhor, se mereço o seu favor, não passe pelo seu servo sem fazer uma parada. Mandarei buscar um pouco d'água para que lavem os pés e descansem debaixo desta árvore. Vou trazer-lhes também o que comer, para que recuperem as forças e prossigam pelo caminho [...] (Gênesis 18:3-5).

Os homens aceitaram.

Abraão correu até sua tenda, exclamando para Sara: "Depressa, pegue três medidas da melhor farinha, amasse-a e faça uns pães" (Gênesis 18:6). Depois, correndo para o seu rebanho, Abraão selecionou o bezerro mais precioso para ser preparado e, quando ficou pronto, colocou-o diante dos seus visitantes, com leite e coalhada, servindo-os enquanto eles se reclinavam sob uma árvore e apreciavam a refeição. Um dos convidados disse o que Abraão desejava ouvir: "Voltarei a você na primavera, e Sara, sua mulher, terá um filho" (Gênesis 18:10).

Observe como o escritor narrou a cena: ele *correu* para encontrar os visitantes; ele *foi apressadamente* à tenda e pediu a Sara que agisse *rapidamente*; ele *correu* até o rebanho; ele *ficou por perto* enquanto eles se sentavam, tudo em prol de um objetivo — ele *serviu* os visitantes.

A palavra *hospitalidade* resume a essência de Abraão, revelando um aspecto do que significa ser feito à imagem de Deus. Ele é o retrato de uma hospitalidade intensa e ilimitada. O velho homem corre de um lado a outro, talvez se movendo como nunca fez desde a juventude. Ele entende o que é hospitalidade e tem esperança nas promessas de Deus. E, por fazer isso, a promessa de Deus é confirmada e anunciada por um total estranho.[4]

CRENÇA BÁSICA: o dinheiro deve ser usado para que os outros se sintam especiais e valorizados

A linguagem Abraão encontra no dinheiro e nos demais recursos — sejam poucos, sejam muitos — a oportunidade de demonstrar a generosidade de Deus aos outros. Indivíduos desse tipo veem os recursos pessoais, que são expressões tangíveis do seu dinheiro, como meios de abençoar os outros, pois isso é parte do motivo por que eles, assim como Abraão, existem. "[...] por meio dele todas as nações da terra serão abençoadas" (Gênesis 18:18). As bênçãos recebidas são tidas como a chance de preparar uma mesa cheia de alimentos para um estranho ou para um amigo, acolhendo-o das intempéries da vida no calor de sua hospitalidade — e isso traz satisfação.

Pessoas com a linguagem Abraão, que são bem altruístas na abordagem ao dinheiro, não usam seus recursos com o propósito de atrair a atenção, mas sim para demonstrar a bondade de Deus, ao mesmo tempo encorajando os corações de quem as recebe. Servir os outros com seus recursos não é trabalho árduo para quem se configura nesse tipo. Basicamente, pessoas com a linguagem Abraão revelam a hospitalidade de Deus, que deseja cuidar de seus filhos e confortá-los com zelo. Elas se desdobram e se superam para garantir que aqueles na sua esfera de influência se sintam valorizados, aceitos e capacitados, utilizando-se de todo o alcance de seus recursos para transmitir essa mensagem.

Quando penso na linguagem Abraão, lembro-me dos meus amigos Naomi e Rich. Há muitos anos, minha esposa Elizabeth e eu estávamos envolvidos no ministério estudantil. Certa noite, marcamos um evento atlético na igreja para os meninos e uma festa do pijama em nossa casa para as meninas. Meu evento com os meninos terminou tarde da noite, e, já que a minha casa estava cheia até o teto de meninas agitadas, Elizabeth e eu concordamos que eu deveria passar a noite em outro lugar.

Recordo-me de um casal, em nossa igreja, prestes a aposentar-se; eles nos haviam convidado, minha esposa e eu, diversas vezes para jantar em sua casa. Nunca era possível, mas achei que essa seria uma boa oportunidade para aceitar o convite e visitá-los. Assim, eu não teria de dormir no quintal para poupar-me de estar em casa enquanto as meninas ficavam de risadinhas noite afora, assistiam ao filme *A princesa prometida* e pintavam as unhas umas das outras — situação pior do que a morte em minha cabeça.

Telefonei para Naomi e Rich.

"Naomi! Oi, aqui é Tommy, o pastor da igreja. Você deve ter visto no boletim de domingo que marcamos dois eventos para os jovens esta noite, o das meninas, com a Elizabeth, e o dos meninos, comigo. Bem, as meninas estarão em casa esta noite e eu estava pensando se..."

Não consegui terminar a minha proposta. Naomi sabia aonde eu queria chegar, então me poupou o incômodo de admitir que eu não havia planejado as coisas adequadamente e que queria dormir no sofá deles.

"Claro, amado. A que horas você chega?"

"Mais ou menos às nove e meia da noite."

"Tudo bem! Rich e eu já estaremos dormindo, mas pode vir. Deixarei a luz acesa e a chave debaixo do capacho".

Parei o carro na entrada da casa deles mais ou menos às dez horas da noite. Os eventos de jovens sempre terminam tarde. O jardim da casa deles estava iluminado como o da Casa Branca. Estacionei o carro perto da garagem e fui até a porta da frente, enquanto pequenas luzes com sensores acendiam uma a uma, como se acompanhassem meus passos. Vi um pedaço de papel na mesa ao lado da porta da frente. Enquanto o desdobrava, admirava a sua qualidade, a dobradura perfeita e o peso. Nele estava escrito: "Seu quarto está arrumado. Quando você entrar, siga pelo corredor à esquerda e vire à direita. O quarto fica em frente".

Andei silenciosamente pelo corredor e encontrei o meu quarto. Uma luminária pequena lançava um tom dourado e gracioso sobre as paredes. Deixando a mochila no chão, vi uma garrafa d'água em um balde cheio de gelo, com um copo ao lado. Outro bilhete, dessa vez dentro de um envelope, encontrava-se ao lado da água: "Descendo o corredor, o seu banheiro fica à direita. O café da manhã estará pronto às oito da manhã. Fique à vontade para estar conosco quando quiser".

No banheiro, havia uma toalha de rosto ao lado de uma vela perfumada que cintilava e refletia no espelho. Foi a primeira vez que achei um banheiro bonito. Tudo estava no seu devido lugar.

Na manhã seguinte, depois de um sono profundo e reparador, juntei-me a Naomi e Rich à mesa do café da manhã. Eles estavam sentados à mesa, tomando café, com notas rabiscadas em papeizinhos diante deles, os dois lendo a Bíblia.

Rich sorriu e ofereceu-me o que estava na mesa — suco de laranja ou leite, pão integral ou rosquinha, ovos mexidos ou fritos, aveia ou canjica, *bacon* ou presunto? Sentei-me com Naomi, enquanto Rich preparava meu simples pedido.

Depois, uma voz pequenina, mas cheia de vigor, ressoou pelo local, quebrando a tranquilidade. "Vovó! Vovô!", gritou o menino. A mãe dele veio logo em seguida.

"Este é o nosso neto", disse Naomi, "e esta é a nossa filha. Eles também passaram a noite conosco."

Fiquei imaginando quantos hóspedes tinham passado aquela noite na casa deles. Quando peguei minhas coisas para entrar no carro e ir embora, eles me convidaram para retornar — a qualquer hora. Prometi a eles que voltaria.

PRINCIPAIS CARACTERÍSTICAS
de pessoas com a linguagem Abraão

Superam as expectativas

Abraão prometeu aos seus visitantes misteriosos *um pouco* de água e *um pedaço* de pão; ele serviu uma refeição completa do que havia de melhor em seu rebanho — o melhor que ele tinha para dar. Similarmente, pessoas com a linguagem Abraão vão além do prometido ou mesmo do esperado para garantir que os outros tenham não somente o que precisam, mas também o que desejam. Elas prometem pouco e oferecem muito, pois veem o dinheiro como um recurso perfeito para valorizar um momento corriqueiro ou para fazer uma pessoa sentir-se especial.

No que diz respeito a finanças, sua primeira preocupação não é fazer valer ao máximo o dinheiro, mas sim proporcionar experiências agradáveis aos outros, experiências que surpreendam e que tragam alegria. Por exemplo, quando são convidadas para reuniões, em vez de trazerem uma bandeja da salada mais barata, as pessoas com a linguagem Abraão provavelmente aparecerão com uma costela assada e vários acompanhamentos. Elas dificilmente pensam em como apenas participar de algo ou atender às expectativas. Em vez disso, cuidadosamente analisam o presente perfeito, a refeição ou outra contribuição que deixe claro ao seu beneficiário que aquele momento não foi projetado com indiferença, mas pensado especialmente para ele. Por causa dessa característica primordial, pessoas com a linguagem Abraão geralmente gastam uma parcela considerável de seus rendimentos em refeições, presentes ou outros meios de demonstrar a sua hospitalidade excepcional.

Priorizam os outros

A linguagem Abraão é altruísta, a ponto de colocar os seus próprios desejos em último lugar. Vemos um exemplo disso em Gênesis 13:8-9. Como o seu rebanho tornou-se muito vasto para que ambos se estabelecessem no mesmo lugar, Abraão deixou a cargo de Ló a primeira escolha a respeito de toda a terra que se encontrava diante deles, ficando com a parte desprezada por Ló.

No que se refere a finanças, pessoas com a linguagem Abraão consumirão muita energia para que alguns outros consigam o que querem, com frequência às próprias expensas e até, ocasionalmente, à custa da autonegligência. Mesmo que não digam, frequentemente pensam: "Eu sinto culpa quando consigo o que quero e invisto em mim". Elas investem nos outros, mas, quando se trata de despesas pessoais, para o seu benefício, geralmente ficam em segundo plano.

Meredith e Ashley, irmãs que agora estão constituindo sua própria família, visitaram-nos certa noite para estudarmos as sete linguagens financeiras. Meredith identificava-se fortemente com Abraão, dando um exemplo de como coloca o desejo dos outros à frente dos seus. Ela compartilhou uma cena típica de suas compras.

"Digamos que eu esteja andando pelos corredores de uma loja e veja uma bolsa da qual eu goste muito, de verdade. O primeiro pensamento que me ocorre não é o de comprá-la para mim; meu primeiro pensamento é que eu deveria comprá-la para a minha irmã Ashley". Ashley sorria, assim como todos nós, mas essa tendência para a linguagem Abraão é bem real — pessoas assim costumam concentrar-se tanto nos desejos e na felicidade dos outros, que reprimem a própria satisfação.

A linguagem Abraão pode aprender a beneficiar-se com a sua natureza liberal sem prejuízos. Demonstrar hospitalidade por meio do modo como lidam com dinheiro é estimulante para pessoas desse tipo, mas elas correm o risco de sofrer desgastes ou de abrir a sua vida para alguns que poderiam drenar os seus recursos ou a sua energia. Essa postura altruísta é maravilhosa e confirmada pela Bíblia, no entanto, se levada ao extremo, a renúncia ao próprio bem-estar em favor de outra pessoa pode ter efeitos prejudiciais, levando ao esgotamento, à fadiga e ao desespero. Mesmo que desfrutem de muita energia e prazer ao servir e ao acolher os outros, a hospitalidade que flui de suas vidas poderá esgotar-lhes as energias se não houver espaço para a renovação.

Acreditam que doar é um dom

Pergunte aos que andam pelos caminhos de Abraão, e eles dirão que verdadeiramente são mais bem-aventurados ao dar do que ao receber. Ao ofertar a alguém ou a uma instituição, algo desperta na vida interior das pessoas com a linguagem Abraão, o que não acontece por meio de nenhuma outra atividade diária. Como elas não conseguem explicar por completo o que acontece nesse processo, você pode ouvi-las dizer algo como: "Eu recebo mais ao doar do que aquele que recebe a doação".

Será que Abraão imaginava como seria importante para a sua vida futura receber bem aqueles três estranhos? Como pudemos observar, os estranhos que Abraão acolheu eram, na verdade, o presente gracioso de Deus para ele. Desse modo, Abraão, o hospedeiro, tornou-se o hóspede — quando Abraão ofereceu uma refeição aos estranhos, eles lhe entregaram a promessa feita por Deus, de agraciá-lo com um filho.

Pessoas com a linguagem Abraão abordam o dinheiro com mentalidade de bumerangue. Acreditam que sempre podem disseminar os recursos que têm em mãos porque mais está a caminho. Não tendem a preocupar-se com dinheiro, como outros fazem; creem que Deus vai sustentá-las assim como elas suprem os outros; vivem em um ciclo econômico de confiança, portanto, sempre têm uma vida liberal e generosa.

Usam os recursos para servir de maneiras muitas vezes despercebidas

Ao longo do meu trabalho no ministério pastoral, muitas vezes negligenciei um dos mais maravilhosos dons para a nossa comunidade de fé — a linguagem Abraão. Pessoas com essa linguagem não tendem a alterar-se, a chamar a atenção ou a apresentar-se rudemente. Em geral, não precisam de muito para se manter. Estão sempre no anonimato, esperando serem chamadas a ajudar em algo que realmente faça a diferença no dia de outra pessoa.

Minha mãe, Alisha, é um ótimo exemplo dessa característica. Tendo frequentado a igreja quando jovem, mas apenas esporadicamente desde então, ela começou a ir à igreja a fim de ouvir a minha pregação para estudantes adolescentes. Em determinado instante, ela se mostrou disposta a ajudar.

Perguntei: "O que você gostaria de fazer?"

Ela respondeu: "Qualquer coisa de que você precisar".

Ora, eu sabia que a minha mãe não cantava muito bem, que só conseguia usar o computador para ler e-mails e que era meiga demais para controlar uma multidão. Basicamente, eu não tinha como encaixá-la em nada. Foi então que ela teve uma ideia.

"Sabe aqueles cartões que você envia aos alunos no mês do aniversário? Por que você não me deixa cuidar disso? Passe-me a lista dos aniversariantes, que comprarei os cartões — só me ajude a escolher algo de que os estudantes gostem".

Toda semana, minha mãe examinava a lista do ministério estudantil, com várias centenas de adolescentes, e certificava-se de que cada um deles tinha recebido o cartão de aniversário pelo correio. Seus nomes foram escritos à mão no cartão, com alguma frase de inspiração baseada em nosso conhecimento dos estudantes. Ela personalizou um processo automatizado ao qual os estudantes provavelmente nem davam atenção. Minha mãe é um exemplo clássico da linguagem Abraão, sempre disposta a desdobrar-se para que as pessoas se sintam bem recebidas e especiais.

Pessoas com a linguagem Abraão usam o seu dinheiro, assim como a minha mãe, para que os outros se sintam especiais e obtenham o que precisam. Conheço uma pessoa desse tipo que coordena o berçário em sua igreja. Em vez de pedir à igreja que arque com os custos dos lenços umedecidos e das bolachas fornecidas às crianças, ela gasta seus próprios rendimentos para fornecer os recursos, de modo a não sobrecarregar a igreja financeiramente. Para pessoas com a linguagem Abraão, esse tipo de gasto não representa dificuldade, mesmo quando o custo é significativo para o seu orçamento. É improvável que contem a alguém sobre suas compras; as pessoas simplesmente assumirão que, a cada semana, os suprimentos aparecem por mágica. Como preferem ser discretas quanto ao uso de seus recursos para ajudar os outros, pessoas assim não se importam que os outros pensem dessa forma.

Gostam de usar a comida para demonstrar gentileza

Já vimos como Abraão providenciou alimento aos seus hóspedes e como isso os levou a retribuir com uma bênção. É comum que pessoas com a linguagem Abraão usem seus recursos para demonstrar hospitalidade aos outros por meio de refeições.

Uma vez, tive o privilégio de presenciar a retribuição total de um ato de generosidade aparentemente insignificante de uma pessoa com a linguagem Abraão, revelando a hospitalidade de Deus de modo bem significativo. Reed gosta muito de cozinhar; ele se realiza na cozinha. Algumas pessoas pintam, outras compõem música. Reed cria pratos que dão água na boca. Em muitas noites, quando sua família deixa a mesa, a maior parte do que ele preparou desaparece em suas barrigas.

Certa noite, porém, Reed tinha bastante espaguete de sobra. Ele teve uma ideia: "Acho melhor levar esta comida para a igreja; alguém pode precisar". Então, sem nunca ter feito nada desse tipo, ele colocou o espaguete em um recipiente e entregou-o ao escritório da igreja. Não pensou duas vezes sobre o que fez. Pegou de volta o recipiente na semana seguinte e continuou normalmente a sua vida.

Sete anos depois, recebemos Reed e uma moça em nossa casa. Enquanto conversávamos e tomávamos café, a moça disse com a voz embargada: "Nunca lhe contei isso antes, Reed, mas você se lembra de quando trouxe espaguete para a igreja há muito tempo? Descobri que era você pela recepcionista". Depois de pensar bastante, Reed lembrou-se vagamente da situação. A mulher continuou: "Você não tinha como saber disso, mas naquela época eu mal conseguia pagar as minhas contas e não tinha nenhum dinheiro de sobra para comprar comida naquela semana. Estava clamando ao Senhor em oração que me ajudasse a conseguir comida, mas não queria contar a ninguém que estava em dificuldade."

"Naquele mesmo dia, a recepcionista enviou um *e-mail* a um grupo de pessoas com as quais eu fazia um trabalho voluntário na igreja, contando que havia espaguete no refeitório. Ninguém passou para pegar nada; então, no final do dia, levei para casa. Comi aquele espaguete a semana toda. Foi o suficiente para passar a semana até o dia do pagamento".

Todos os olhos na sala estavam cheios de lágrimas. A moça agradeceu ao Reed, encerrando com uma afirmação poderosa: "Você trouxe o espaguete, mas, para mim, ele veio diretamente de Deus". Reed só estava fazendo o que ele mais amava, compartilhando os recursos que Deus lhe deu, esperando que fossem melhorar o dia de alguém. No entanto, o que ele talvez não tenha percebido naquela ocasião é que Deus geralmente opera, sem ser percebido, por meio desses gestos de hospitalidade. O amor de Deus é notado quando pessoas com a linguagem Abraão, como Reed, usam seus recursos para demonstrar gentileza aos outros. Elas podem nem chegar a entender o impacto de seus gestos de hospitalidade, mas, para aqueles que os recebem, com olhos para ver e ouvidos para ouvir, a presença de Deus é constantemente sentida por meio dos seus atos.

LADO OBSCURO: autossuficiência

Toda linguagem tem um lado obscuro; lembre-se, porém, de que toda sombra exige a presença de alguma luz — mesmo o lado obscuro tem alguma bondade. O lado obscuro de pessoas com a linguagem Abraão é a autossuficiência, a crença de que não se precisa da ajuda de ninguém; uma atitude de mostrar-se bem, de não querer despertar a preocupação dos outros. Aqueles que estão mais inclinados a abençoar os outros podem ter muita dificuldade em receber bênçãos e, assim, desenvolver um ar de superioridade; de ser sempre aquele que ajuda, nunca o ajudado.

Se esse lado obscuro não for tratado, transformará a hospitalidade de pessoas com a linguagem Abraão — uma abordagem altruísta que faz os outros se sentirem especiais por meio de seus recursos — em uma tentativa egoísta de atender a um desejo profundo de sentir-se necessário, de tornar-se poderoso e até mesmo de considerar-se superior aos outros.

Dificuldade em aceitar a generosidade de outras pessoas

Vemos aspectos desse lado obscuro na vida de Abraão em Gênesis 14:13-24, quando seu sobrinho Ló foi sequestrado. Abraão soube disso por uma pessoa que tinha conseguido fugir. Então, convocou seus homens e contou-os: 318 reuniram-se e receberam suas ordens. Atacaram ao cair da tarde, recuperando os bens roubados e o seu parente.

O rei Bera, de Sodoma, encontrou Abraão no Vale do Rei. Melquisedeque, rei e sacerdote de Salém, trouxe pão e vinho, abençoando Abraão, que deu a ele o dízimo de tudo o que havia sido resgatado na batalha. Ao ouvir a bênção, e vendo essa partilha, o rei Bera disse a Abraão: "Dê-me as pessoas e pode ficar com os bens" (Gênesis 14:21). Abraão se recusou, dizendo: "[...] não aceitarei nada do que lhe pertence, nem mesmo um cordão ou uma correia de sandália, para que você jamais venha a dizer: 'Eu enriqueci Abrão'" (Gênesis 14:23). Abraão, talvez, não quis misturar-se com os gostos do rei de Sodoma. No entanto, um estudo cuidadoso da vida de Abraão revela que a recusa de bens foi algo recorrente (veja também Gênesis 23, quando ele não quis receber terra de graça para sepultar a esposa).

Você já conheceu pessoas que sempre faziam o bem para os outros, mas que, quando você notou alguma necessidade em sua vida, recusaram a sua ajuda? Uma mulher com a linguagem Abraão expressou que não estava à vontade no próprio chá de bebê quando os outros lhe deram presentes, pois se sentia constrangida ou em dívida com eles, como se naquele momento isso tivesse algum poder sobre ela, obrigando-a a recompensar a pessoa com outro presente, não em virtude de uma ocasião especial, mas simplesmente para retornar o favor. Essa mulher, no entanto, não via problemas em ir a qualquer chá de bebê ou outra ocasião especial e dar presentes extravagantes.

Às vezes, uma pessoa com a linguagem Abraão pode ter dificuldades em ser objeto de algum ato de generosidade. Com isso, algumas delas podem sentir-se fracas, perdidas e incapazes. Se forem realmente honestas, aquelas que entram em conflito com o lado obscuro dirão que gostam de sempre cuidar dos outros, pois, assim, elas se sentem necessárias. Essa forma de autossuficiência pode fundamentar-se em uma profunda insegurança, que é, essencialmente, uma espécie disfarçada de orgulho.

Inclinação para um pensamento de superioridade

Outro aspecto do lado obscuro da linguagem Abraão é a crença de que a pessoa que recebe gestos de hospitalidade ou de benevolência seja, de algum modo, inferior a quem o faz. Em outras palavras, é fácil pensar: "Estou ajudando você, portanto, sou melhor". A verdadeira hospitalidade quanto ao uso dos recursos não consiste em *ajudar* alguém; em vez disso, o objetivo é *honrar* alguém. Quando Abraão recebeu seus hóspedes especiais, ele demonstrou respeito com as suas palavras (*chamando-os de meus senhores*), com a sua postura (*curvando-se diante deles*) e com os seus recursos (*providenciando o melhor*). Percebendo que ele era, por fim, alguém a passar pela vida, dependente da hospitalidade e da provisão de Deus, Abraão serviu seus convidados. Ele fez algo bom. Como se pode ver no decorrer da história, os convidados de Abraão levavam consigo uma mensagem especial e o poder de abençoar o homem que os hospedou.

Certamente, nem todas as relações com hóspedes são tão substanciais como esta, mas todo hóspede tem uma importância divina, pois cada pessoa carrega a imagem de Deus, é naturalmente igual e tem o direito de ser tratada com dignidade e respeito, não importando gênero, etnia ou classe socioeconômica.

Crescimento na saúde financeira
Reconheça o seu desejo de demonstrar hospitalidade

A cultura pode levá-lo a acreditar que você não é bom com finanças, a menos que só invista em si mesmo. Talvez você já tenha pensado que não é bom com dinheiro porque gasta muito com os outros em vez de construir o próprio império. Sinta-se seguro em saber que a sua realização financeira não se dá como acontece com outras pessoas — você encontra significado no dinheiro ao usá-lo de forma hospitaleira para demonstrar o amor ao próximo. Assuma esse aspecto da sua personalidade como um desígnio de Deus para a sua vida.

Viver embasado na linguagem Abraão não é fácil. Você sempre está atento ao que os outros querem e necessitam, e nunca faltam pessoas que precisem de algo da sua parte. Ocasionalmente, você pode pensar que só existe para satisfazer os outros, e, se assumir esse papel, isso pode virar a sua realidade. Não precisa, porém, ser esse o caso. Assuma a sua abordagem altruísta com relação ao dinheiro pela perspectiva de que Deus o criou para ser um vaso por meio do qual o amor divino se expressa no modo como você usa o dinheiro, e não como alguém que é, de alguma forma, inferior e que tenha de gastar dinheiro para fazer os outros felizes. Você tem valor porque Deus o criou singularmente; ele o projetou, em especial, para revelar a imagem dele.

Examine as suas motivações

Antes de gastar seu dinheiro com os outros, examine as suas motivações. Você está fazendo certa compra porque quer expressar seu amor e seu cuidado por alguém ou, de algum modo, está constrangido, como se devesse algo a essa pessoa? Sempre oferte e invista com uma postura de confiança, nunca esperando que o presente ou outro gesto de generosidade cause algum tipo de reação. Você só encontrará decepção. Lembre-se: as pessoas podem passar a contar com a sua hospitalidade; podem acostumar-se a viver à luz de seus presentes. Assim, se elas não demonstrarem gratidão, você pode ter problemas de autoestima. Se notar que suas ofertas têm o intuito de fazer alguém feliz ou de obter a sua aprovação, deixe de lado a hospitalidade e retorne à postura de confiança interior. Volte-se para a hospitalidade motivada pelo amor de Deus em sua vida. Então, você transbordará generosidade sem precisar de nenhum retorno, pois já terá sido preenchido com o amor de Deus.

Pergunte às pessoas o que elas querem

Você geralmente está atento ao que outras pessoas desejam ou necessitam, mas precisa entender que os gestos de hospitalidade são recebidos diferentemente pelos outros. Considere perguntar aos seus beneficiários o que eles querem ou precisam, em vez de presumir saber o que é melhor para eles. Se recusarem a sua hospitalidade, não tem nada a ver com você nem reflete alguma incapacidade sua de discernir o que eles desejam. As pessoas rejeitam os bons presentes de Deus o tempo todo; você está em boa companhia. Honrará seus beneficiários ao procurar entender o que eles desejam, não presumindo saber o que é melhor para eles.

Diga às pessoas o que você quer

Você passa a vida toda usando o dinheiro para que outras pessoas se sintam especiais, mas precisa ajudar o restante de nós a saber como usar o nosso dinheiro para fazê-lo sentir-se especial. Quando perguntamos onde você quer jantar, onde gostaria de passar as férias e o fim de semana ou sair para um encontro, precisamos que nos diga o que quer — não o que acha que desejamos que você queira. Isso parece simples para a maioria das linguagens, mas, para a do tipo Abraão, pode ser difícil, porque pessoas assim estão mais preocupadas em que os outros recebam o que querem. Será de grande valia dizer-nos o que deseja. Se ajudá-lo a sentir-se um pouco melhor, considere isso mais uma maneira de servir-nos! Você nos poupará da agonia de tentar ler os seus pensamentos.

Estabeleça um orçamento para despesas com atos de hospitalidade

A hospitalidade sem orçamento é como um rio sem margens — recursos demais fluindo sem limite podem fazer mais mal do que bem. As necessidades do mundo sempre superam a capacidade de ofertar. Por vezes, pessoas com a linguagem Abraão podem ultrapassar completamente o orçamento (se tiverem um) destinado a presentes, organização de festas, entretenimento, apoio a instituições de caridade e outros esforços hospitaleiros. Elas podem considerar a elaboração de um orçamento rígido para esses tipos de gastos, talvez até mesmo separando a quantia prevista em dinheiro a cada mês e gastando apenas ela.

Se pessoas com a linguagem Abraão não conseguem administrar adequadamente as finanças por gastarem demais e com frequência em gestos de hospitalidade, restringem-se as oportunidades para que Deus se associe a elas a fim de demonstrar bondade por meio das finanças. Isso trará muita dor à alma abraâmica, pela perda das chances de demonstrar hospitalidade. Nesse caso, considere duas coisas. Em primeiro lugar, podem existir maneiras de alcançar esse mesmo propósito sem gastar muito ou, até mesmo, sem gastar nenhum dinheiro. Em segundo lugar, lembre-se de que você não é o único benfeitor do mundo. Outras pessoas do seu convívio poderiam formar uma parceria com você para cumprir algum propósito desejado?

Lembre-se de investir em si mesmo

O lado obscuro e a postura altruísta levam-no a negligenciar o autocuidado apropriado. Você pode precaver-se desse lado obscuro procurando ser bom consigo mesmo pelas suas finanças. Aprendi essa lição de uma notável pessoa com a linguagem Abraão.

Certa vez, enviei pelo correio a cópia esfarrapada de um livro para o seu autor na esperança de que ele o autografasse com uma mensagem pessoal para o meu filho e, depois, enviasse de volta. Anexei um envelope selado com o meu endereço. Duas semanas depois, recebi dois exemplares do livro, os dois autografados — minha cópia esfarrapada e outra novinha em folha. Olhei a contracapa do livro novo e encontrei a seguinte mensagem para o meu filho: "Seth, seja bom consigo mesmo". É um conselho maravilhoso de uma pessoa com a linguagem Abraão.

Por sempre se preocupar com as necessidades de todos ao seu redor, talvez você dê pouca atenção aos próprios desejos. Você precisa, de forma responsável, planejar fazer ocasionalmente alguma extravagância para si mesmo. Reserve algum dinheiro dispensável todo mês apenas com o propósito de divertir-se com alguma experiência a seu gosto. Crie um item em seu orçamento com o nome "Eu", não importa a quantia, e gaste esse dinheiro consigo mesmo. Se ajudar, imagine-se saindo de si mesmo e vendo-se como outra pessoa a quem você tão frequentemente demonstra gentileza e amor. Criativamente planeje e elabore um orçamento para uma viagem de um só dia ou mesmo uma tarde, a fim de presentear-se. Faça isso como se estivesse planejando a viagem de um amigo próximo. Se precisar, recrute um amigo para planejar esse passeio com você. Então, coloque o plano em ação!

Ainda que pareça extravagante gastar tanta energia em si mesmo, isso faz parte do zelo pela saúde em pessoas com a linguagem Abraão. Assim, se estiver fazendo compras e vir algo de que goste, em vez de pensar em alguém que você queira presentear, compre para si mesmo!

Você deve ter ouvido o texto da Escritura: "Ame o próximo como a si mesmo", que aparece em várias partes da Bíblia. Parte de amar o próximo consiste em aprender a demonstrar amor-próprio, e parte desse amor-próprio consiste em ser bom consigo mesmo. Faça isso com alegria e sem culpa. Pessoas com a linguagem Abraão, vocês nos fazem sentir tão especiais! Por favor, assegurem-se de perceber o quanto também são importantes!

Da culpa à alegria: uma pessoa com a linguagem Abraão aceita o seu propósito

Quando Francesca entendeu que Deus a criou para usar o dinheiro com a finalidade de fazer os outros se sentirem especiais, que tinha a linguagem Abraão, ela recuperou o sentimento de alegria e de propósito que tinha quando mais nova — uma alegria que tinha perdido por algum tempo. Por toda a sua vida, Francesca amava usar o seu dinheiro para que as pessoas se sentissem importantes e notadas. O dinheiro do seu aniversário ela usava para comprar brincos para a mãe; a mesada ela geralmente gastava em coisas para seus irmãos e amigos da escola. Quando cresceu, no entanto, ensinaram-lhe que devia ser mais criteriosa com o dinheiro, usando-o de um modo melhor, especialmente economizando e investindo no futuro.

Francesca não era irresponsável com suas finanças. Ela tinha o suficiente na poupança para cobrir despesas de emergência e pagava sua previdência privada mensalmente, mas lhe disseram que ela poderia fazer mais do que isso. Ela se sentia culpada por achar que não usaria o seu dinheiro adequadamente se o gastasse com os outros. Mais do que isso, ela não se sentia realizada em sua vida financeira.

Por anos ela lutou com essa ansiedade financeira, um conflito gerado quando sua alma deseja uma coisa, mas a cultura — ou as pessoas ao seu redor — afirma outra. Quando Francesca descobriu sua linguagem financeira, foi como tirar anos de culpa das costas. Ela expressou com lágrimas que sempre gostou de usar seu dinheiro para demonstrar hospitalidade. Agora, continua a pagar sua aposentadoria, mas também contribui para o banco de alimentos local todo mês com mantimentos indispensáveis e dinheiro, para que eles façam seu bom trabalho na comunidade, e ela o faz com alegria.

Uma bênção
para pessoas com a linguagem Abraão

> *Vemos Deus em você pelo modo como nos faz sentir profundamente especiais e amados; nossos corações se aquecem com o brilho de sua hospitalidade. Você demonstra que somos importantes para Deus, recordando-nos de que os olhos dele estão sobre nós, assim como estão sobre o pardal, que se alimenta à mesa da hospitalidade generosa de Deus todos os dias. Somos aceitos como somos quando estamos em sua presença. Quando olhamos para você, temos um vislumbre da imagem de Deus, que ama além do que esperamos ou merecemos e que nos serve de um jeito que nos surpreende a cada dia. Você nos ajuda a sentir o amor divino. Seus gestos de generosidade nos lembram da hospitalidade de Deus, direcionando-nos àquele que nos prepara uma mesa e nos leva a águas tranquilas.*

Passagens bíblicas
para a alma hospitaleira

Leia as passagens bíblicas a seguir, cada uma acompanhada de palavras para personalizar este exercício. Veja a passagem com a qual você mais se identifica. Então, leia-a calmamente em voz alta várias vezes, escreva-a e medite sobre ela até que possa memorizá-la. Pelos próximos dias, certifique-se de saber que você transmite o amor de Deus ao mundo de maneira significativa e que as Escrituras confirmam o seu modo de ser no mundo com relação aos recursos.

Estou neste planeta para cumprir a Palavra: "Compartilhem o que vocês têm com os santos em suas necessidades", e, ainda: "Pratiquem a hospitalidade" (Romanos 12:13).

Foi-nos dado o privilégio de ser "mutuamente hospitaleiros". Como recebi esse dom, vou usá-lo para "servir os outros", como um mordomo fiel da "graça de Deus em suas múltiplas formas" (1Pedro 4:9-10).

Meu amor pelos outros os faz recordar a graça de Deus, já que ele "nos dará [...] de graça, todas as coisas" (Romanos 8:32).

Perguntas para reflexão
para pessoas com a linguagem Abraão

- Como você usa o dinheiro com finalidade hospitaleira? Como isso o faz sentir?
- Quem mais em sua vida tem a linguagem Abraão?
- Das principais características ou histórias de Abraão ou de pessoas com a linguagem Abraão, com qual você mais se identificou e por quê? Como você se vê à luz dessa característica ou história?
- Você tem algum conflito financeiro com alguém? Se tiver, como a sua linguagem financeira Abraão pode ter contribuição nesse conflito?
- O que você planeja fazer de diferente com o seu dinheiro, agora que entende a sua linguagem financeira Abraão?
- Qual é a maior verdade que você aprendeu sobre a linguagem financeira Abraão?

CAPÍTULO TRÊS

Linguagem nº 2

Isaque: Disciplina

Isaque mudou-se dali e cavou outro poço [...].

GÊNESIS 26:22

As condições na terra estavam cada vez mais desanimadoras. Fazendeiros e pastores tinham uma palavra para tempos assim tão ruins, uma palavra que detestavam usar, mas que sabiam refletir a realidade — fome. Tudo em seu mundo dependia da terra, e as condições da terra ditavam a prosperidade do povo.

Não era momento de viajar, mas a fome não deixava alternativa. Isaque teve de encontrar um local para estabelecer-se e sobreviver, então seguiu os passos de seu saudoso pai em Gerar, no território filisteu. Assim como Abraão fez durante tempos de fome, Isaque pensou em ir para o Egito. Deus tinha abençoado Abraão em épocas como aquela; então, Isaque espelhou-se nas ações de seu pai, esperando que a promessa de Deus para Abraão, de fazer dele uma grande nação em uma terra bem fértil, fosse estendida para a sua vida. Assim, Deus instruiu

Isaque, dizendo: "Não desça ao Egito; procure estabelecer-se na terra que eu lhe indicar. Permaneça nesta terra mais um pouco, e eu estarei com você e o abençoarei" (Gênesis 26:2-3).

"Esta terra" não era exatamente um lugar ideal no qual permanecer. O crescente fértil egípcio, com as planícies aluviais do Nilo e o solo rico, apresentava condições melhores para a agricultura. Ademais, os vizinhos filisteus não ofereciam garantia de apoio aos parentes que estavam com Isaque; permanecer lá não era ideal nem lógico, além de ser bastante perigoso para sua família. Embora a jornada de Abraão não garantisse a sobrevivência, parecia ter melhor perspectiva do que resistir à falta de chuvas e de outras fontes de água em Gerar. No Egito, ao menos havia água. Em vez de levar Isaque pelo caminho mais lógico, Deus conduziu-o a um local que somente ele poderia suprir, onde, em meio à fome e às adversidades, a provisão de Deus seria mais evidente.

Os desafios eram intimidadores, e as chances estavam todas contra Isaque. É difícil reunir a coragem e a disciplina necessárias para semear em tempos de fome. Se plantar, é arriscado perder todas as sementes. Se não plantar, é certo não colher nada. Tudo estava em jogo, e Isaque precisava de condições mais favoráveis para poder sobreviver. No entanto, contrariando a razão, apegando-se apenas à promessa de Deus, Isaque permaneceu e plantou. Os resultados foram impressionantes!

> Isaque formou lavoura naquela terra e no mesmo ano colheu a cem por um, porque o Senhor o abençoou. O homem enriqueceu, e a sua riqueza continuou a aumentar, até que ficou riquíssimo. Possuía tantos rebanhos e servos que os filisteus o invejavam (Gênesis 26:12-14).

Conduzido pela promessa, guiado por um senso de destino, e ainda em condições difíceis que previam o seu fim, Isaque tomou o que tinha, confiou tudo a Deus e, com a sua ajuda, fez o máximo possível com seus limitados recursos e oportunidades.

É importante ressaltar que a provisão e as promessas de Deus na vida de Isaque, em meio ao plantio e à colheita 100 vezes mais em tempos de fome, não o isentaram de enfrentar resistência. Se a estrada rumo a objetivos compensadores fosse fácil, ninguém precisaria de disciplina. A história de Isaque, portanto, não traria lições nesse sentido. Tal fato, de qualquer modo, é verificado claramente na passagem anterior: quando os filisteus viram seu sucesso, tiveram inveja e demonstraram resistência. As bênçãos de Deus atraíram o conflito (veja Gênesis 26:14 e os versículos seguintes). Esse conflito, que mistura bênçãos e adversidades, oportunidades e contratempos, constitui a situação na qual a disciplina surge como força orientadora que impulsiona a pessoa a uma oportunidade.

Como veremos mais adiante, a disciplina marcou a vida de Isaque, demonstrando uma qualidade da imagem divina. Isaque integra a determinação de aproveitar ao máximo tudo o que está à sua disposição, fazendo lembrar que Deus tem o controle de todas as coisas, não importa quão desoladora seja a situação, e faz com que elas cooperem para o bem. Nada se perde.

CRENÇA BÁSICA: o dinheiro deve ser maximizado

Pessoas com a linguagem Isaque são centradas e determinadas com relação a seu dinheiro, buscando aproveitar ao máximo os seus recursos. O Deus que converte até mesmo as situações mais terríveis, que extrai o máximo dos recursos — de maneiras incontáveis nas Escrituras — quando o seu povo passa necessidade, é revelado pela mente disciplinada e pelos atos da pessoa com a linguagem Isaque. Ela vê potencial em tudo porque com Deus tudo é possível. Assim sendo, nada se perde — tudo é maximizado.

Se você der um real a pessoas com a linguagem Isaque, elas farão o melhor para multiplicá-lo por dez, não porque gostem de ganhar dinheiro, mas pela determinação interior de ampliar o seu potencial. É muito importante distinguir a multiplicação egocêntrica da maximização, e isso tudo se relaciona com a motivação. Pessoas com a linguagem Isaque não são motivadas simplesmente por um sentimento de *quanto mais, melhor*, mas pelo senso do *máximo* — isto é, maximizar os recursos para chegar ao seu melhor uso e ao seu máximo potencial.

Geralmente, pessoas com a linguagem Isaque desejam muito saber para onde vai o seu dinheiro. Seu orçamento costuma ser organizado, e elas têm um plano que leva em conta suas necessidades financeiras futuras. Elas analisarão o orçamento para garantir que ele maximize os seus recursos, normalmente impondo a si mesmas restrições financeiras severas, limitando a quantia de dinheiro que elas (ou outros que compartilhem de seu orçamento) gastarão em usufruto pessoal ou em atividades aparentemente fúteis.

Em suas melhores condições, a disciplina de pessoas com a linguagem Isaque baseia-se em uma mentalidade que deseja honrar o Senhor, porque elas levam muito a sério todos os recursos que ele confiou aos seus cuidados. Pensam: "Devo fazer o máximo com isso, pois Deus colocou este dinheiro em minha esfera de influência". Elas se veem como parceiras de Deus para trazer o bem ao mundo pelo modo como lidam com seu dinheiro, de tal maneira que nenhum centavo se perca. Até encontram um meio de rentabilizar os objetos e as experiências mais comuns e cotidianas da vida, enxergando o potencial de maximizar os recursos de um jeito que os outros não veem.

Joseph Bullin é um exemplo claro da linguagem Isaque. Desde quando o conheço, ele começa a comemorar o Natal em julho. Soa estranho para alguns, mas é até engraçado ver nada menos que seis árvores de Natal acesas em sua casa durante os meses de verão e por todo o outono. Quem mais faz isso? Ele gosta muito do Natal e, também, das decorações natalinas. Descobriu quando as lojas de sua região são abastecidas e quando oferecem descontos nas decorações. Entre todas as coisas, ele entrou no mercado de decorações natalinas, comprando itens raros e desvalorizados para vendê-los posteriormente on-line, com um lucro impressionante. Com esse dinheiro, ele consegue viajar pelo país e desfrutar do cenário das estradas. Como não precisa recorrer à renda convencional de seu trabalho diário, ele maximiza seu dinheiro *adicional*.

Essa característica é muito comum em pessoas com a linguagem Isaque: elas veem potencial de lucrar onde outros só veem "mera decoração." E, ainda, verão esse dinheiro como um adicional, evitando ao máximo usar a sua fonte de renda regular. Contarão com esse rendimento complementar para viagens, compras e itens supérfluos.

PRINCIPAIS CARACTERÍSTICAS
de pessoas com a linguagem Isaque

Têm disciplina rumo ao destino

Assim como seu pai, Abraão, Isaque viveu com um profundo senso de destino, de que algo maior estava reservado para ele. Deus disse a Isaque: "[...] por meio da sua descendência todos os povos da terra serão abençoados" (Gênesis 26:4).

Esse senso de promessa e de oportunidade capacita pessoas com a linguagem Isaque a permanecerem firmes diante das adversidades e a manterem disciplina rumo a um futuro financeiro desejável. Mesmo diante de grande adversidade, persistem em sua *motivação*, como a promessa que o Senhor fez a Isaque. Ela as guia, e não há nada que as impeça de atingir o objetivo. Enfrentarão tudo o que se colocar diante delas, refletirão sobre o que fazer com isso e utilizarão seus recursos em prol dos fins desejados.

Quando Elizabeth e eu tínhamos pouco tempo de casados, aprendemos o poder de sermos financeiramente disciplinados, o que mudou o nosso futuro financeiro. Além disso, ainda que eu não soubesse expressar isso na época, percebi que minhas maiores inclinações vinham da linguagem Isaque.

Sonhávamos com o dia em que Elizabeth pudesse ficar em casa e concentrar-se na criação dos filhos, mas nossas finanças pareciam conspirar contra nós e impedir que isso acontecesse. Com os financiamentos da faculdade, as despesas médicas e as prestações do carro, tínhamos uma dívida de aproximadamente 30 mil dólares, então, tivemos um choque de realidade — não tínhamos dinheiro suficiente para que Elizabeth pudesse largar seu emprego. Ela sendo professora e eu sendo ministro de jovens, não estávamos nadando em dinheiro. Não enxergávamos um modo claro de mudar a nossa situação financeira. A nosso ver, tínhamos duas opções: continuar fazendo as mesmas coisas e esperar um resultado diferente (o que geralmente se considera a definição de insanidade) ou pedir ajuda e tentar algo novo.

Deixando o orgulho de lado, pedimos a um pastor da nossa igreja que nos ajudasse a pensar no que fazer. Marcar esse encontro foi uma das experiências mais humilhantes e embaraçosas de toda a minha vida. Evitávamos falar sobre dinheiro, especialmente ao perceber que não estávamos ganhando o suficiente para fazer o que queríamos; ao menos era o pensávamos.

Entramos no escritório do Ed nervosos e envergonhados. Parecia que estávamos prestes a fazer um exame físico com um de nossos colegas. Em certo sentido, era exatamente o que estávamos fazendo — um exame da nossa saúde financeira. Ed analisou todos os detalhes da nossa situação financeira. Depois, deixou de lado os documentos e fez uma pergunta que mudou nossa perspectiva: "Então, por que vocês querem mudar a sua situação financeira?"

Eu respondi: "Queremos que a Elizabeth possa ficar em casa e criar os nossos filhos".

"Se a sua *motivação* for forte o suficiente, você suportará *tudo* o que for preciso para atingir o seu objetivo", ele disse. Depois, instruiu-nos a guardar nossos recibos por trinta dias e consultá-lo novamente.

Tínhamos a nossa primeira tarefa. Guardamos todos os recibos para o mês seguinte; quando chegou o dia da verificação, esvaziamos sobre a mesa de Ed uma sacola de papel cheia de tirinhas brancas de papel. Nós as separamos em categorias: alimentação, transporte, serviços essenciais, diversão, e assim por diante.

Ed abriu uma planilha que parecia algo criado pela NASA e digitou alguns números sobre pagamento de financiamentos, taxas de juros e quantias dos recibos. Ele passou o seu diagnóstico: "Vocês podem livrar-se das dívidas em um ano".

Eu sorri, olhei para Elizabeth e disse: "Você ouviu isso? Ganharei um aumento!" Ed riu e explicou que, embora eu não fosse ganhar um aumento, se tivéssemos consciência quanto ao gasto do nosso dinheiro, poderíamos pagar todas as dívidas em aproximadamente treze meses.

Ed forneceu passos claros, práticos e viáveis para alcançarmos a meta. O resto dependia de nós. Nossa *motivação* era forte o suficiente? Por todo o ano seguinte fomos disciplinados, vivemos em um orçamento apertado, atacamos as dívidas com cada centavo a mais que encontramos ou ganhamos e, poucos dias depois de completarmos onze meses daquela consulta, livramo-nos de todas as dívidas, um mês antes do previsto. Nossa *motivação* era realmente forte, então, nos disciplinamos para resistir a *tudo* o que viesse em nossos caminhos. Não foi fácil, mas valeu a pena.

A palavra mais importante que aprendemos naquele ano foi *não*. Dizíamos coisas como: "Não, desculpe, não poderemos jantar fora nem ir ao cinema com vocês, mas gostariam de fazer uma visita e assistir a um filme em nossa casa?" Ora, não dizíamos não para tudo; na verdade, dizíamos não a tudo o que nos impedisse de dizer sim para que Elizabeth pudesse ficar em casa enquanto dávamos início à nossa família. Aprendemos o que significava ter disciplina financeiramente rumo a um objetivo, percebendo que um bom plano, uma meta clara e a disciplina podem levar pessoas centradas a resultados incríveis.

Greg McKeown expressa esse esforço claramente ao escrever:

> Eliminar o supérfluo significa dizer não a alguém. Com frequência. Significa lutar contra as expectativas sociais. Fazer isso apropriadamente requer coragem *e* compaixão. Assim, eliminar o supérfluo não exige somente disciplina mental. Trata-se da *disciplina emocional* necessária para que se diga não à pressão social.[5]

Encontrar a motivação, eliminar o supérfluo e manter o foco no objetivo desejado dão a coragem de manter-se disciplinado financeiramente em direção ao sonho.

Enxergam o potencial de recuperação e de restauração

Simplesmente, o suficiente não é bom o bastante para pessoas com a linguagem Isaque. Não porque elas exijam perfeição, mas por enxergarem potencial. Claramente vemos a imagem de Deus transparecer, nesse aspecto, na vida de uma pessoa com a linguagem Isaque. Deus toma aquilo que está em pedaços, trazendo beleza das cinzas, e trabalha conosco para restaurar os quebrantados ao redor.

Quando pessoas com a linguagem Isaque enxergam potencial, elas analisam os recursos e os organizam de modo a obter impacto máximo. Em Gênesis 26:18, lemos: "Isaque reabriu os poços cavados no tempo de seu pai Abraão, os quais os filisteus fecharam depois que Abraão morreu, e deu-lhes os mesmos nomes que seu pai lhes tinha dado". É interessante que Isaque tenha dado aos poços que seu pai Abraão cavou há muito tempo os nomes originais. Eles eram mais do que poços; eram sinais da provisão de Deus para uma geração anterior, e Isaque restaurou o que estava perdido. Ele resgatou a dignidade dos poços danificados pelos filisteus.

Pessoas com a linguagem Isaque enxergam potencial, seja de um projeto, seja de um objeto, seja de uma pessoa, e tendem a utilizar todos os meios ao seu dispor e desenvolvê-los.

Em prol dessa finalidade, elas recuperam o que está quebrado; restauram o bem danificado. Perguntam-se: "Qual é o potencial disso?", a respeito de coisas que os outros subestimam. Recusam-se a deixar passar as oportunidades. Pessoas com a linguagem Isaque têm um conhecimento profundo da realidade tal qual ela é, mas, mesmo assim, recusam-se a desistir daquilo que ela possa vir a ser. Sempre pensam no futuro e investem todas as suas energias com a plena certeza de que maximizaram tudo o que estava ao seu alcance.

O trabalho de Tom Cousins na comunidade de East Lake é um exemplo disso. Essa comunidade rodeava Atlanta como um vestido de verão ou como uma menininha de olhos brilhantes, mas, por volta de 1960, a estância turística deu lugar a um gueto envolvido na criminalidade. Em seu livro *Toxic Charity* [A caridade tóxica], Robert Lupton relata a situação: o valor das propriedades despencou, o comércio se foi, as drogas e a prostituição floresceram. Como Lupton recorda, Tom Cousins, um promotor imobiliário de sucesso, enxergou o potencial lucrativo da comunidade em meio a toda a sua ruína. Em parceria com agências e empresários que compartilhavam de sua visão, ele identificou as três áreas mais perigosas — "duas ruas nas quais a atividade criminosa quase não era monitorada e, bem no meio dessa vizinhança, um conjunto habitacional público de 650 unidades".

Logo, o maior ponto de atividade criminosa, o conjunto habitacional em estado deplorável, foi demolido e substituído, trazendo aos cidadãos habitação acessível e de qualidade, com novos proprietários. Em seguida, o grupo voltou sua atenção aos desafios educacionais que deveriam ser atingidos se as coisas mudassem naquela comunidade. Depois de East Lake ganhar uma escola autônoma, o desempenho dos estudantes, em um período de dois anos, foi do fundo do poço ao terceiro lugar entre as escolas públicas de Atlanta.

O motor financeiro que alavancou a transformação de East Lake, de fato, não foi o conjunto habitacional restaurado, nem a revolução incrível na educação, mas o seu campo de golfe renovado, o *East Lake Golf Course*, o qual recebeu como sócios inúmeros empresários da mais alta elite norte-americana. Enquanto escrevo estas linhas, você pode ligar a televisão todo mês de setembro e ver *East Lake Golf Course* sediar o último torneio de golfe do ano do PGA Tour. Quando surge um novo campeão na disputa do último buraco do campeonato, todo ano, aqueles que conhecem a história de East Lake e o espírito caridoso do PGA Tour entendem que o verdadeiro novo campeão é a comunidade de East Lake, que recebe mais de 1 milhão de dólares por ano para sediar o evento. Agora, East Lake é uma das comunidades mais procuradas da região.[6]

O líder do projeto, Tom Cousins, trilhou a jornada de Isaque, já que visualizou um novo futuro para a comunidade de East Lake. Ele não poderia ter conquistado o nível de apoio das autoridades locais nem o PGA Tour se o projeto fosse limitado a um empreendimento imobiliário comum. A visão conduziu o projeto — a visão de ruas restauradas, com habitação adequada e um sistema educacional que sustentasse o crescimento econômico e comunitário. Pessoas com a linguagem Isaque enxergam o potencial de recuperação e restauram o que se perdeu ou o que precisa de conserto, não somente para si mesmas, mas para a comunidade.

São persistentes diante das adversidades
Em Gênesis 26:19-22, lemos:

> Os servos de Isaque cavaram no vale e descobriram um veio d'água. Mas os pastores de Gerar discutiram com os pastores de Isaque, dizendo: "A água é nossa!" Por isso Isaque deu ao poço o nome de Eseque, porque discutiram por causa dele. Então os seus servos cavaram outro poço, mas eles também discutiram por causa dele; por isso o chamou Sitna. Isaque mudou-se dali e cavou outro poço, e ninguém discutiu por causa dele. Deu-lhe o nome de Reobote, dizendo: "Agora o Senhor nos abriu espaço e prosperaremos na terra".

Depois de reabrir os poços de seu pai, Isaque cavou outros. Buscando detê-lo, os vizinhos começaram a exigir direito sobre a água.

Isaque atribuiu a dois de seus novos poços, sobre os quais as pessoas discutiram com ele, os nomes Eseque (que significa "disputa") e Sitna (que significa "oposição"), com base nas difíceis experiências de cavá-los. Apesar de enfrentar resistência contínua, Isaque prosseguia e continuava cavando em busca de um lugar não disputado para ampliar a sua terra, o que permitiria à sua família prosperar. Mesmo sendo mais poderoso do que os seus inimigos (Gênesis 26:16), Isaque demonstrou moderação e continuou buscando a provisão de Deus, até que, finalmente, cavou mais um poço e chamou-o de Reobote, que significa "lugares vastos". As fronteiras da fome foram substituídas por um lugar vasto de bênçãos, enquanto Isaque persistia em direção à promessa.

As condições adversas nem chegam perto de abalar a persistência de pessoas com a linguagem Isaque, inspirada por Deus. Desde a mãe solteira, que administra um orçamento enxuto enquanto coloca o pão na mesa, até o milionário, que vê mais valor no desenvolvimento da comunidade do que no do seu portfólio, existem pessoas com a linguagem Isaque de todos os tipos e modelos financeiros. O que as alicerça não é um tipo de projeto, de personalidade, de área de atuação nem de patrimônio líquido. Seu alicerce é a disciplina inabalável, a persistência que as compele a *reabrir* poços, porque estão à procura de um lugar amplo e sustentável que possibilite a prosperidade de sua família. Elas não cederão até conseguir o que acreditam ser o melhor de Deus para suas vidas.

Max é uma pessoa com a linguagem Isaque que sabe persistir diante da resistência. Por anos, vi-o fazer a faxina das instalações da igreja depois de terminar seu outro serviço de tempo integral. Certa vez, ao fim do meu dia de trabalho, esbarrei com ele no corredor quando ele chegava para trabalhar na igreja. Max era muito alegre; sua voz aguda e ritmada alcançou um tom melhor ainda quando perguntei a razão do sorriso largo em seu rosto.

"Está quase pronta. A casa ficará pronta esta semana!", exclamou. Nunca tínhamos conversado sobre a casa que ele estava construindo, então, fiquei admirado com o modo como Max descreveu a disposição do imóvel, os materiais de construção, a planta e a área dela. Quando ele acabou de descrever a sua casa dos sonhos, passou a descrever o seu sonho.

"Eu sempre quis um terreno, um lugar em que os meus filhos e, um dia, os filhos deles pudessem andar livremente. Além disso, minha esposa e eu sempre desejamos um espaço maior para que cada filho tivesse o próprio quarto. Agora, ela está quase pronta."

Nunca tinha visto Max por aquele ângulo, e nunca mais o verei do mesmo jeito em razão do que ele disse em seguida.

"Este é o motivo pelo qual trabalho em tempo integral e ainda venho fazer faxina. Veja bem, gosto muito do que faço aqui, mas minha esposa e eu concordamos que, por algum tempo, eu investiria algumas horas extras por semana aqui, para que, somando este trabalho ao outro, eu pudesse ganhar dinheiro suficiente para pagar a casa — em dinheiro."

Mais cedo, eu o enxergava como um homem que limpava os nossos banheiros, um homem que sempre valorizei e respeitei. Agora, eu via um homem que não podia ver antes, guiado por um sonho, que encontrava uma oposição financeira a esse sonho e, mesmo assim, persistia. A persistência disciplinada, inspirada por um sonho, ajudou Max a superar muitos obstáculos e a permanecer centrado em suas metas financeiras. A princípio, eu não conseguia perceber o que o motivava a limpar os vasos sanitários e a lavar o chão com tanto entusiasmo e vigor. Agora, entendo muito bem.

Demonstram prudência

Em seus últimos dias, Isaque estava totalmente cego. Sua esposa, Rebeca, percebeu que chegara a hora de Isaque abençoar o filho mais velho, Esaú. Ela arquitetou um plano para que o seu filho favorito, o mais novo deles, Jacó, recebesse as bênçãos reservadas para Esaú.

Rebeca instruiu Jacó a vestir-se como o irmão mais velho e a entrar na sala, de modo que Isaque, levado pelo engano, acreditasse ser Esaú e o abençoasse no lugar do irmão. Seu plano deu certo. Quando Esaú chegou e entrou na sala para que Isaque o abençoasse, o engano foi revelado e Isaque ficou chocado. Mesmo assim, ele se conteve, para também não abençoar Esaú, embora o seu desejo fosse fazê-lo desde o início. Naquela cultura, o filho mais velho deveria ter recebido a bênção.

A narrativa é trágica, e, ainda que não haja muito nessa história que valha a pena imitar, existe algo a aprender de Isaque. A tradição judaica honra Isaque por demonstrar prudência naquele momento, por não ir além dos recursos à sua disposição, por não abençoar Esaú depois de já ter abençoado Jacó. Por mais triste que fosse, Isaque honrou sua palavra a Jacó e conteve-se com Esaú. Ele é elogiado por esse gesto, pois espelha a prudência de Deus. Se Deus não fosse prudente, o mundo não poderia conter a avalanche de seus recursos — amor e luz esmagadores. Ainda, ao criar o mundo e os seus recursos, Deus exerceu a sua prudência dentro dos limites estabelecidos, como em Gênesis 1:9, em que as águas foram reunidas em um lugar e a terra seca surgiu.

Isaque honrou os limites que tinha traçado; exerceu a prudência, controlando suas emoções. Pessoas com a linguagem Isaque não se dão ao sentimentalismo que as levaria a ultrapassar o seu limite financeiro. Já presenciei muitos cultos religiosos e apelos para arrecadação de fundos, a fim de entender como os comunicadores se utilizam de emoções para compelir as pessoas a contribuir. Isso não é necessariamente enganoso ou errado, pois as emoções legitimamente trabalham para direcionar nossos corações à generosidade com as finanças. No entanto, pessoas com a linguagem Isaque são menos dispostas que outros a contribuir levadas pelas emoções. Isaques querem saber como o dinheiro será gerido e quem é o responsável por garantir que os recursos tenham o destino adequado. E querem ver resultados. Isso é fundamental para entender a motivação de pessoas com a linguagem Isaque ante uma contribuição assistencial: elas precisam ter uma forte sensação de que a pessoa ou a organização que estão ajudando não somente tenha credibilidade, mas também faça render ao máximo a sua doação, como se uma pessoa com a linguagem Isaque fosse responsável pelo dinheiro.

Assim como a emoção pode levar uma pessoa com a linguagem Isaque a identificar-se com um objetivo ou com uma oportunidade de contribuição em particular, a lógica determinará se a emoção será traduzida em uma doação ou se a prudência será demonstrada nessa situação. Isso não acontece com nenhuma outra linguagem.

Alan é uma pessoa com a linguagem Isaque, ao passo que sua esposa, Cherise, identifica-se com a linguagem Abraão. Em um domingo, um missionário visitou a igreja deles e apresentou uma necessidade premente de unidades médicas em um país de terceiro mundo. Cherise comoveu-se a ponto de derramar lágrimas; ela e Alan doaram vários milhares de dólares e financiaram uma unidade médica, pagando também por um estoque de remédios.

Alan e Cherise não tiveram nenhum retorno por meses, e, depois de praticamente um ano, Alan pediu um relatório da parte do missionário sobre o que foi feito da clínica. Ele recebeu algumas informações genéricas e uma foto mal tirada de um norte-americano no solo daquele país. Basicamente, ele não teve a sensação de que a sua doação realmente havia feito a diferença.

Alguns tipos contribuem para causas que consideram dignas e nem se importam em como o dinheiro será aplicado. Mas, sendo alguém com a linguagem Isaque, Alan afirma que, antes de pensar em contribuir novamente para esse missionário, ele precisaria obter mais provas de que a sua última doação foi utilizada com o fim proposto e de que o seu dinheiro foi amplamente maximizado. Se não for assim, ele demonstrará certa restrição quanto a doações futuras.

Gostam de vencer fazendo o melhor negócio

Certa vez, fui convidado para jogar golfe com um grupo de empresários bem-sucedidos. Durante um intervalo da partida, um deles, um rico investidor que tinha um jato particular e três casas de veraneio, perguntou a todos do grupo se sabíamos como atualizar o seu pacote da operadora de celular de um jeito mais conveniente do que as opções que ele já conhecia. Ele estava tentando descobrir como economizar o equivalente a uma despesa única de cerca de 50 dólares.

Em algum momento da conversa, um dos homens perguntou a ele: "Você vai tentar encher o tanque do avião com os cinquenta dólares que economizará?" A pergunta provocou uma onda de risadas, até da parte do homem que estava tentando economizar o dinheiro. Esse comportamento era típico dele. Todos os amigos deles sabiam disso e brincavam merecidamente com ele. Seja negociando um contrato com a operadora de celular, seja fazendo negócios milionários, ele tratava cada transação como se o banco fosse quebrar em caso de fracasso.

Essa tendência das pessoas com a linguagem Isaque pode fazê-las ter bastante sucesso, e também pode fazer com que deem atenção a pequenas economias. Essa mesma postura as motiva o tempo todo. Tal mentalidade vem da sua tendência à maximização, que observamos na vida de Isaque pelos exemplos mencionados anteriormente, a respeito da reabertura dos poços. Pessoas com a linguagem Isaque gostam de fechar o melhor negócio porque apreciam vencer; a conquista indica que aproveitaram o dinheiro ao máximo. Quando economizam ou fazem algum negócio, sentem-se vencedoras, não importa quão insignificante seja a vantagem.

LADO OBSCURO: medo

Isaque é a primeira pessoa na Bíblia a quem Deus ordena não ter medo: "Eu sou o Deus de seu pai Abraão. Não tema, porque estou com você; eu o abençoarei e multiplicarei os seus descendentes por amor ao meu servo Abraão" (Gênesis 26:24). A Bíblia é boa em não lançar palavras em vão. Se Deus diz: "Não tema", é porque existe medo. A questão interior que precisava ser tratada em Isaque era, aparentemente, o medo. Não sou psicólogo, mas, se meu pai me amarrasse a um feixe de madeira e quase me apunhalasse o coração, acho que eu ficaria levemente inquieto (veja Gênesis 22:1-24).

O medo transforma o desejo disciplinado de honrar o nome de Deus pelo modo de lidar com as finanças em uma administração avarenta do dinheiro, com um esforço exagerado, até mesmo recorrendo à ganância em nome da segurança e da preservação pessoal. Não há como ter paz com Deus e com o dinheiro se o medo motivar o nosso relacionamento com as finanças. Amor e medo não podem coexistir, porque o amor perfeito lança fora o medo (1João 4:18).

Confiança nos próprios esforços e na própria ética de trabalho

A disciplina que caracteriza a pessoa com a linguagem Isaque não deve ser confundida com uma ética de trabalho radical, por muitos idealizada, a qual leva as pessoas a valorizar mais a aquisição de bens do que a saúde, a cultivar mais o dinheiro do que a família. A pessoa que trabalha horas intermináveis para crescer na carreira, deixando de lado a família nesse processo, não é disciplinada, mas gananciosa; não é amorosa, mas covarde, demonstrando que não confia em Deus como fonte de provisão. Em vez disso, ela acredita que os resultados só vêm do esforço próprio. Não é isso que a vida de Isaque ensina. O trabalho árduo é admirável, mas o trabalho árduo que não leva em conta o fato de que todo bom trabalho é um ato de cooperação com Deus a favor dos sonhos dele para a vida de uma pessoa, o que nunca deve incluir o abandono da família ou da saúde para a obtenção de lucro ou de ganho, não nos é exigido. Como citamos anteriormente, Isaque reconheceu a atuação divina em meio às escavações e à reabertura dos poços. Se Deus não for reconhecido nem identificado no processo, se não se confia nele nem como provedor nem como sustentador, a disciplina da linguagem Isaque dará lugar a uma competição teimosa e egoísta que está impregnada de medo.

Disciplina como um objetivo, não como um meio

A vida no lado obscuro da disciplina de uma pessoa com a linguagem Isaque pende para o que alguns podem chamar de *utilitarismo*. Mesmo não sendo necessariamente ruim, o utilitarismo pode significar um modo de pensar e de viver que valoriza mais a maximização do dinheiro e dos recursos do que a beleza e a estética. Essa mentalidade sempre exalta a funcionalidade em detrimento da forma. Todos conhecemos pessoas que espremem até a última gota de todos seus recursos, seja alguém que usa o carro até que as rodas caiam, seja o acumulador de cupons que tem mais dinheiro que o necessário no banco para levar os filhos ao parque aquático, mas não o faz porque o cupom de desconto de 10% para o parque só começa a valer no mês seguinte. O ponto não é que a maximização de recursos seja ruim, nem que a abordagem utilitária dos recursos não seja necessária em uma época ou outra, mas, quando levada ao extremo, a disciplina torna-se o objetivo, não o meio para determinado fim. Então, perdem-se toda a beleza e toda a graça da vida.

Não aproveitamento dos recursos

Pessoas com a linguagem Isaque, conscientes da escassez financeira que poderia estar a caminho, talvez conservem qualquer recurso que seja em seus poços, retirando somente o mínimo para sobreviver, mas não o bastante para verdadeiramente aproveitar o fruto do seu trabalho. Elas podem ridicularizar aqueles que gastam dinheiro em férias extravagantes ou em um bom restaurante. Tendem a zombar do que consideram compras fúteis — uma bolsa nova quando a antiga não tem furos ou uma televisão de tela plana quando a de tubo antiga ainda sintoniza as estações locais gratuitas. Essa crítica mesquinha ao lazer e à beleza acaba sendo baseada não em um desejo de manter disciplina financeira, mas sim em um medo profundo.

Crescimento na saúde financeira
Adote a disciplina e maximize o seu dinheiro

Sua linguagem financeira é desejável aos olhos da maioria dos que o observam. Você tem mais talento para fazer o seu dinheiro render do que a maior parte das pessoas; sempre tenta fazer o melhor negócio possível e não perde um centavo, a menos que tenha decidido relaxar nos gastos por um curto período. Essa disciplina, apesar de surgir naturalmente em você, não se cultiva facilmente. Você com frequência reflete sobre dinheiro, pensando regularmente em como extrair o máximo do que possui e em como gerar mais dinheiro quando tem uma grande ideia ou enxerga uma maneira de multiplicar os seus recursos. Às vezes, em meio a todo esse pensamento e planejamento financeiro, até gostaria de ter um descanso do peso dessa responsabilidade financeira que geralmente recai sobre você.

Você foi criado assim, para intuitivamente enxergar oportunidades de maximizar os recursos, para aproveitar da melhor forma tudo o que estiver sob os seus cuidados. Se você passou muito tempo pensando no modo como se relaciona com dinheiro, pode até se sentir culpado por todo o tempo despendido na reflexão sobre essa área da sua vida. Talvez você precise crescer nesse aspecto (darei algumas sugestões daqui a pouco), mas também precisa assumir essa realidade como uma das formas de revelar a imagem de Deus na terra — você espelha a disciplina de Deus. Assim como Isaque, você tem uma parceria com Deus para restaurar e desenvolver os recursos ao seu redor. Quando se enxerga desse jeito, você passa a notar que a sua concentração em maximizar os recursos reflete a imagem de Deus, a imagem de um Deus que usa os acontecimentos e as oportunidades para instaurar o bem, obtendo o melhor resultado até das piores situações.

Em vez de lutar contra suas tendências, você pode conscientizar-se de seu lado obscuro e assumir a plenitude de quem é e o modo como isso impacta seus pensamentos, suas emoções e suas ações financeiras. Você se importa tanto com dinheiro porque acredita ser um meio de proclamar a glória a Deus e de ajudar as pessoas a desenvolver suas vidas. Isso é proposital e, como tudo o que Deus criou, é bom.

Deixe de lado o medo financeiro e confie na fidelidade de Deus

Pessoas com a linguagem Isaque devem aprender a preservar-se e a crescer em relação ao seu lado obscuro — o medo. Você precisa ir mais a fundo em seu histórico de vida e identificar os momentos em que decidiu ser sempre disciplinado com o dinheiro. Se o medo esteve presente, coloque-o no altar daquele momento e saiba que Deus verdadeiramente proverá. No instante em que Deus disse a Isaque para não temer, também disse (e esta é a primeira pessoa a quem Deus fez essa promessa) que estaria com ele. Então, Isaque construiu um altar.

Ao perceber que Deus está com você e age por você, será possível lidar com o medo de forma diferente. O medo voltará, mas a confiança ecoará a promessa de Deus — "Eu estarei com você" —, então você poderá venerá-lo, recordando as promessas dele (Gênesis 26:3,24). Isaque acreditava que Deus o abençoaria de verdade, e, talvez, de alguma maneira, o altar que Isaque construiu pôs fim a outro momento diante de um altar no qual ele quase perdeu a vida. O medo financeiro deve ser colocado sobre o altar para que as pessoas com a linguagem Isaque tenham uma vida livre na área financeira.

A transição do medo para a confiança não se define em um momento específico, mas é uma inclinação gradual até que se confie e descanse nas promessas de Deus. O descanso não acontece facilmente para uma pessoa com a linguagem Isaque. Se você não tomar cuidado, vai acabar pensando que é a razão de suas vitórias, que a sua esperteza e o seu trabalho árduo são a base de sua segurança. Essas pessoas — que lutam com a grande preocupação de que o futuro possa não acontecer do modo planejado ou que uma escassez nas finanças possa durar mais do que o esperado — afligem-se sobre o que pode estar prestes a acontecer.

O incrédulo Tomé frequentemente é caracterizado como o mais puro exemplo da falta de fé. A história encontra-se em João 20, quando Tomé desejou uma prova de que Jesus tinha voltado dos mortos. Jesus convidou Tomé a tocar suas feridas e a caminhar da incredulidade para a fé.

Os idiomas originais ajudam muito mais a descrever essa interação do que algumas traduções modernas. Jesus não fez uma severa repreensão a Tomé, mas o convidou e desafiou a deixar a incredulidade. Ir do medo à confiança consiste em um processo, e é um processo ao qual todos os discípulos de Jesus se submeteram, já que todos eles, inclusive Tomé, em algum momento duvidaram.

Tomé tinha razões de sobra para ser cético. Não era comum a um homem ressuscitar. Pessoas com a linguagem Isaque são muito parecidas em seu ceticismo enquanto trabalham arduamente para mitigar os riscos; analisam todas as possibilidades antes de tomar uma decisão. O que esquecem, em razão do lado obscuro, é que Deus está mais perto delas do que imaginam. Quando o medo se faz presente, é um sinal claro da oportunidade de reconhecer o amor infalível de Deus e de permanecer nele. Com certeza, sentir a presença de Deus pode impactar a nossa capacidade de descansar quando se trata de nosso dinheiro, combinando a propensão à disciplina nas finanças com a esperança de que não estamos sozinhos. Tempos de dificuldade financeira podem surgir, mas, com Deus, você descobrirá uma maneira de atravessá-los. Até lá, e mesmo depois, seja responsável com o seu dinheiro, mas confie em Deus.

Relaxe um pouco

Assuma a sua tendência de maximizar o dinheiro, mas tome o cuidado de não levá-lo tão a sério, nem você mesmo. Planeje desacelerar um pouco no que se refere a ganhar e a maximizar o seu dinheiro. Você adquiriu tanto impulso financeiro em virtude dos seus hábitos de poupar e de investir, que precisa desenvolver a habilidade de fazer pequenas pausas bem planejadas.

Veja, como exemplo, as férias de família. Uma típica pessoa com a linguagem Isaque tentará encontrar as melhores ofertas em relação à viagem, às acomodações e até ao entretenimento, procurando por dias ou cupons com desconto. Chega uma hora em que você precisa parar de gastar o mínimo e ostentar um iogurte congelado de dez reais, um voo de parapente bem caro ou a pipoca e o refrigerante de quase 40 reais no cinema. Como diz o velho ditado, do mundo realmente nada se leva. Aproveite bem esses momentos em que você gasta mais, sabendo que poderá retomar os negócios quando voltar para casa. Quem sabe, até mesmo quando voltar, você possa desenvolver uma maneira de desfrutar mais da maximização do seu dinheiro, aprendendo a estar mais satisfeito com o que tem agora, em vez de sempre buscar estratégias para melhorar tudo.

Verifique com frequência como está o seu dinheiro

Acredite se quiser, outros tipos, em geral, são mais organizados financeiramente que você, uma pessoa com a linguagem Isaque. Em breve, você conhecerá seus colegas que têm a linguagem

Moisés e constatará que eles estão em um nível bem mais alto. Nosso pequeno segredo, como pessoas com a linguagem Isaque, é que, enquanto estamos bem concentrados em ganhar e em maximizar o dinheiro, nem todos passamos muito tempo pensando em nosso orçamento e em nossa situação financeira geral. Podemos ser bastante desorganizados com as finanças durante épocas agitadas da vida, ainda maximizando o dinheiro, mas sem prestar muita atenção nele do ponto de vista da organização.

Já consideramos a importância de confiar em Deus para combater o medo. No entanto, uma prática financeira viável ajuda pessoas com a linguagem Isaque nesse combate: verifique a sua situação financeira regularmente. Separe tempo para analisar o seu dinheiro de forma regular e previsível. Reveja e atualize o seu orçamento. Examine as suas contas de investimento. Às vezes, é muito útil simplesmente saber que está tudo bem ou, caso seja uma época de finanças escassas, saber o tamanho do "buraco", de modo a traçar um plano para sair dele. Ter a noção da situação trará tranquilidade à sua mente, mesmo que ela seja terrível.

Desprezar a sua realidade financeira, seja ela transbordante, seja um poço seco, apenas possibilita que o medo cumpra o seu papel de criar os piores cenários pessimistas em sua mente. Crie um ritmo com as suas finanças. Veja-as como o faziam Isaque e outras pessoas antigas de fé, como um altar, que marcava o momento em que Deus anteriormente as encontrou e no qual ele as encontraria de novo. Essa análise financeira pode ser uma chance de confiança em Deus e de adoração. E ela deve, com certeza, ajudá-lo a sentir-se melhor, de alguma maneira, a respeito de sua situação financeira, porque, ao menos, você saberá o que são os números.

Identifique o medo: uma pessoa com a linguagem Isaque aceita o seu propósito

Benjamin começou a trabalhar aos dez anos de idade; seus pais permitiram que ele tivesse um trabalho de verão, cortando grama na vizinhança. Quando pré-adolescente, ele até conseguiu um trabalho para ajudar na faxina de condomínios sob a supervisão de adultos. Disse-me que, quando estava crescendo, não sabia quais eram as leis de trabalho para crianças em sua cidade natal, mas ninguém parecia importar-se, e ele gostava de trabalhar. Ninguém o forçava a fazer isso; ele teve uma formação confortável. Na adolescência, Benjamin trabalhava depois da escola, geralmente ganhando mais de 100 dólares por dia, contando o salário e as gorjetas.

Enquanto alguns jovens gastariam o dinheiro opcional para sair com os amigos (Benjamin só precisava comprar gasolina para o carro), ele guardou o dinheiro — em potes sobre uma prateleira na oficina do pai, escondidos em sacolas de roupas velhas. Com o passar do tempo, acumulou alguns milhares de dólares. Um dia, quando voltou do trabalho, ao encontrar uma janela da oficina de seu pai quebrada, seus piores medos tornaram-se realidade — ele perdeu todo o seu dinheiro.

Benjamin jurou que nunca mais perderia nenhum centavo, que ele sempre protegeria o seu dinheiro tanto no modo de guardá-lo quanto no de gastá-lo. Sua antiga tendência natural de fazer dinheiro e maximizá-lo transformou-se em uma abordagem motivada pelo medo de nunca perder quando se trata de dinheiro. Ele estava obcecado em sempre fazer os melhores negócios; sempre tinha de ganhar, e ganhar com folga, nas negociações.

Quando, já adultos, Benjamin e eu nos conhecemos, ele tinha acumulado uma enorme quantia de riquezas. Os trabalhos de verão tinham-no treinado para ser um empresário, e, agora, ele tinha sua própria empresa. O desafio dele, no entanto, era que, enquanto a sua riqueza crescia, também crescia o medo de perder o dinheiro. Ele sempre se preocupava com o dinheiro, buscava ganhar mais e aproveitar ao máximo tudo o que conquistava. O dinheiro e o medo de perdê-lo controlavam Benjamin.

Conforme extraíamos as camadas de sua história, descobrimos a ocasião em que ele decidiu nunca mais ser explorado financeiramente, aquele momento em que alguém roubou suas economias da juventude. Ali, Benjamin identificou seu medo — ele tinha medo de perder tudo novamente. É raro ver um homem como Benjamin chorar, mas, enquanto conversávamos, ele se tornou um jovem de 16 anos desfeito em lágrimas. O belo é que, naquele momento, fomos capazes de recuperar o melhor do que havia em sua juventude, mas que foi roubado dele — o desejo de ser disciplinado com o dinheiro, de maximizá-lo.

Durante os meses seguintes, enquanto Benjamin descobria mais sobre os benefícios e o lado obscuro da linguagem financeira Isaque, libertou-se do apego mortal que tinha com o seu dinheiro. Analisou sua situação financeira e percebeu que só com os juros de alguns dos seus investimentos ele poderia enviar crianças com poucos recursos para o acampamento esportivo. Até encontrou tempo na agenda para ser um voluntário.

Benjamin ainda tem dificuldades com a sua tendência para a acumulação de bens. Agora, porém, está mais apto a identificar o medo e, quando percebe que ele está chegando, fundamenta-se no que há de melhor nas tendências da linguagem Isaque e usa essa abordagem disciplinada para patrocinar os sonhos de alguns jovens.

Uma bênção
para pessoas com a linguagem **Isaque**

> *Vemos Deus em você quando o observamos transformar situações desesperadoras em algo maravilhoso. Não desistirá de nós — você vê o potencial dentro de cada um e está determinado a aproveitar ao máximo cada momento e cada oportunidade. Você nos lembra de que Deus nos ama e não tem medo de uma boa desordem, porque em meio a ela reside o potencial de restauração. Sentimos confiança quando você está presente, porque sabemos que administrará tudo o que estiver sob seus cuidados com o máximo de suas habilidades.*

Descansamos, certos de que você não desistirá, de que permanecerá responsável. Obrigado por ajudar-nos a ter um vislumbre do Deus que faz novas todas as coisas, que opera rumo a mais criações, à reconciliação e à redenção, dia após dia.

Passagens bíblicas
para a alma **disciplinada**

Leia as passagens bíblicas a seguir, cada uma acompanhada de palavras para personalizar este exercício. Veja a passagem com a qual você mais se identifica. Então, leia-a calmamente em voz alta várias vezes, escreva-a e medite sobre ela até que possa memorizá-la. Pelos próximos dias, certifique-se de saber que você transmite o amor de Deus ao mundo de maneira significativa e que as Escrituras confirmam o seu modo de ser no mundo com relação aos recursos.

Não preciso ter medo do futuro, porque o mandamento e a promessa de Deus para mim são: "Não tema, porque estou com você; eu o abençoarei" (Gênesis 26:24).

Enquanto aproveito ao máximo tudo o que me foi concedido, o meu desejo é ouvir de Deus: "Muito bem, servo bom e fiel! Você foi fiel no pouco, eu o porei sobre o muito. Venha e participe da alegria do seu senhor!" (Mateus 25:21).

Deus me chamou, com o meu desejo de maximizar e de restaurar os recursos, para ser um "restaurador de ruas e moradias" (Isaías 58:12).

Perguntas para reflexão
para pessoas com a linguagem **Isaque**

- De que modo você é disciplinado com o dinheiro? Como isso o faz sentir?
- Quem mais em sua vida tem a linguagem Isaque?

- Das principais características ou histórias de Isaque ou de pessoas com a linguagem Isaque, com qual você mais se identificou e por quê? Como você se vê à luz dessa característica ou história?

- Você tem algum conflito financeiro com alguém? Se tiver, como a sua linguagem financeira Isaque pode ter contribuição nesse conflito?

- O que você planeja fazer de diferente com o seu dinheiro, agora que entende a sua linguagem financeira Isaque?

- Qual é a maior verdade que você aprendeu sobre a linguagem financeira Isaque?

CAPÍTULO QUATRO

Linguagem nº 3

Jacó: Beleza

Se te agradaste de mim [Jacó], aceita este presente de minha parte, porque ver a tua face é como contemplar a face de Deus [...].

Gênesis 33:10

Quando Jacó soube que o irmão, Esaú, estava planejando matá-lo por iludir o pai a abençoá-lo no lugar dele — que tinha o direito legítimo à bênção —, Jacó fugiu para preservar sua vida. Para salvá-lo, Rebeca, sua mãe, encorajou-o a morar com o tio, Labão, até que a ira de Esaú abrandasse e ele pudesse voltar para casa em segurança.

Sozinho e em fuga, Jacó fez uma parada à noite. Ele largou seus pertences e usou uma pedra como travesseiro. Ao adormecer, sonhou. Uma escada ia da terra ao céu, enquanto anjos subiam e desciam, e Deus estava de pé sobre ela — o Deus de Abraão e de Isaque —, prometendo abençoar Jacó e permanecer com ele até que voltasse à sua terra natal.

Jacó acordou, assustado e com medo. Ele disse: "Sem dúvida o Senhor está neste lugar, mas eu não sabia!" (Gênesis 28:16). Bem cedo, na manhã seguinte, usou a pedra que serviu de travesseiro e tornou-a uma coluna, derramando óleo sobre ela e chamando aquele lugar de Betel, que significa "casa de Deus". Naquele momento, ele fez um voto; se Deus fosse com ele e o sustentasse, dar-lhe-ia o dízimo de tudo o que tinha.

Aquele lugar, que há pouco tinha servido de hotel sem paredes, ao ar livre, com um travesseiro de pedra, foi especial para Jacó por causa da presença de Deus. A pedra já não era mais uma pedra comum, porque indicava o lugar no qual Jacó havia tido um encontro com Deus. Ela marcou um momento importante, e por trás dessa pedra houve uma experiência que estaria gravada permanentemente na memória de Jacó, uma experiência que o orientaria e o confortaria pelo resto de seus dias.

Para comemorar a ocasião, Jacó derramou óleo sobre a pedra, marcando-a para que todos os que passassem, incluindo ele e seus parentes, lembrassem para sempre que algo especial havia acontecido naquele lugar e dessem glória a Deus.

Jacó prosseguiu em sua jornada e, quando chegou a Padã-Arã, onde Labão morava, deparou-se com um poço e com alguns rebanhos de ovelhas. Falando com os pastores que se reuniam perto do poço, ele perguntou: "Vocês conhecem Labão?" (Gênesis 29:5). Eles responderam: "Sim, nós o conhecemos [...] e ali vem sua filha Raquel com as ovelhas" (Gênesis 29:5-6).

Foi a primeira vez que Jacó viu Raquel. Ele foi até o poço, tirou a grande pedra que o tampava e deu de beber às ovelhas dela. Jacó beijou Raquel (uma saudação costumeira) e chorou em alta voz. Para ele, parecia que se tinha tirado uma pedra de seu coração, como se a sede de sua alma tivesse sido satisfeita com o poço da beleza de Raquel. Enquanto fugia de casa, seu coração encontrou abrigo.

Jacó logo se estabeleceu em sua família, trabalhando para o pai de Raquel.

> Já fazia um mês que Jacó estava na casa de Labão, quando este lhe disse: "[...] Diga-me qual deve ser o seu salário" [...] Raquel era bonita e atraente. Como Jacó gostava muito de Raquel, disse: "Trabalharei sete anos em troca de Raquel, sua filha mais nova" [...] Então Jacó trabalhou sete anos por Raquel, mas lhe pareceram poucos dias, pelo tanto que a amava (Gênesis 29:14-20).[7]

Os sete anos se passaram. Por todo esse tempo, Jacó serviu Labão fielmente para casar-se com a sua filha. Então, chegou a noite do casamento. Labão reuniu todas as pessoas e promoveu uma festa de celebração. Não sabemos se a luz do fogo era muito fraca para que se discernisse um rosto do outro ou se a festa de casamento foi celebrada além da conta. Seja lá como aconteceu, Labão fez uma troca de esposa e Jacó acabou celebrando sua noite de casamento com Lia, a irmã de Raquel. Na manhã seguinte, Jacó descobriu a traição de Labão e o confrontou.

Aparentemente, Labão tinha por crença que a filha mais nova, Raquel, não deveria ser dada em casamento antes da irmã mais velha (isso teria sido uma informação útil no início do trato). Mesmo assim, Jacó recebeu Lia como sua esposa e, depois de concordar em servir outros sete anos por Raquel, também recebeu a sua mão em casamento. Por quatorze anos, Jacó serviu a Labão por Raquel. Não seria negada ao seu coração aquela que ele amava.

A maneira como Jacó se relacionava com as finanças volta a nossa atenção à bela Criação de Deus e ao seu amor insondável por nós. Assim como Deus — que incansavelmente nos conduz com bondade e generosidade; por um lado, derramando recursos sobre nós e, por outro, disciplinando-nos amorosamente para construir o nosso caráter —, Jacó expressou o seu amor e seguiu o desejo de seu coração com uma generosidade espontânea, aliada ao compromisso disciplinado. Quando ele notava algo ou alguém verdadeiramente marcante, indescritivelmente belo, sentia-se movido a dedicar-lhe os seus recursos.

CRENÇA BÁSICA: o dinheiro deve ser aplicado em experiências agradáveis

Pessoas com a linguagem Jacó defendem e desejam a beleza. Toda vez que encontram algo que seus corações desejam, elas o terão, calculando o que é necessário para adquiri-lo, sem medir tempo, esforços nem recursos nessa busca. Mais do que qualquer outra, a alma com a linguagem Jacó anseia por seu objeto de desejo, seja algo físico, seja uma experiência. Pessoas assim não perguntam primeiro: "Quanto isso custa?" ou "Que benefícios terei com isso em comparação com o preço?", como faria uma pessoa com a linguagem Isaque. Quem figura a linguagem Jacó pensa inicialmente: "Isto é maravilhoso! Eu quero!", depois idealiza um plano de ação, buscando o melhor negócio durante o processo. O desejo vem em primeiro lugar, em seguida o desejo alimenta-se da disciplina para a aquisição do objeto ou da experiência.

Elas avaliam os custos, mas a prioridade é a beleza. Meu amigo Andrew tem a linguagem Jacó. Ele me telefonou certa tarde, no final do expediente, e pediu que eu o encontrasse em sua casa. Ele queria que eu desse uma olhada em uma bicicleta antiga. Quando ele abaixou a porta traseira do caminhão de sua empresa e sorriu, mostrando-me uma Schwinn Hornet dos anos 1950, descobri o que ele queria.

Andrew queria que eu reabilitasse a sua bicicleta, se é que posso dizer assim. Os raios das rodas estavam soltos; o quadro, que antigamente era verde-escuro, e o para-lama, com listras brancas, estavam totalmente enferrujados em boa parte da bicicleta. Tentei fazê-lo desistir disso. Eu sabia que ficaria caro restaurar a bicicleta, então lhe disse que eu poderia conseguir outra do mesmo tipo provavelmente por um terço do que custaria a restauração. Ele não quis saber, dizendo que um amigo seu, que adquiriu um vinhedo, tinha dado a ele a bicicleta, que era do dono desse vinhedo desde a infância, e ele queria andar com ela por toda a vinha e mostrar ao dono, para que pudessem desfrutar dela juntos.

O coração de Andrew estava decidido. Setecentos dólares depois, acabei adquirindo peças usadas de reposição, de estoques antigos e de antiquários, para deixar a bicicleta exatamente como no dia em que saiu da loja — exceto pelo seu quadro, agora limpo e encerado, que ainda mantinha a característica antiga. A bicicleta estava tão intacta quanto possível.

Andrew não era um homem rico. Setecentos dólares era muito dinheiro para gastar em uma bicicleta velha e surrada. No entanto, Andrew calculou o custo, sabendo de antemão que, ao final do projeto, ele teria prejuízo. É improvável que ele conseguisse vender a bicicleta por setecentos dólares. Isso não importa para Andrew; o que interessa é a beleza. Ele queria que o dono original visse a bicicleta restaurada e andasse nela por toda a vinha com um olhar feliz, como fazia quando era mais jovem — um belo momento, de fato. Andrew desejava usar os seus recursos para criar uma experiência agradável e bonita.

PRINCIPAIS CARACTERÍSTICAS
de pessoas com a linguagem Jacó

Veem beleza sob a superfície

Pessoas com a linguagem Jacó extraem todos os matizes de rostos, lugares, experiências e objetos que outros possam ignorar, ajudando-nos a ter mais atenção e a observar a vida em toda a sua beleza e em todo o seu mistério. Vemos isso na vida de Jacó quando ele teve um encontro dramático e transformador com Deus, inspirando-o a eternizar o momento derramando óleo sobre a pedra, uma pedra que, toda vez que ele visse, ou pela qual passasse com outra pessoa, contaria uma história sobre a atuação de Deus.

Elas discernem toda a beleza ao seu redor. Não precisam procurar por isso — as lentes de sua alma filtram a beleza e trazem-na à superfície de sua consciência. Pessoas com a linguagem Jacó, talvez mais instintivamente que outras, "veem Deus em tudo, e tudo em Deus".[8]

Ao derramar óleo na pedra, Jacó pegou um item mediano e comum e criou um momento significativo. Quem tem essa linguagem possui a habilidade de extrair a beleza da vida — e a beleza de Deus — pelo modo como utiliza seus recursos.

No entendimento judaico, uma coisa somente é bela quando perdura. Outra coisa pode ser agradável aos olhos e não chegar ao estado de beleza verdadeira, porque a beleza verdadeira persiste e perdura.[9] Ela não é efêmera e nada tem a ver com o tipo de beleza relacionado com a atual busca comercial de permanecer jovem, em forma e atraente — nenhum dos quais representa um desejo inerentemente mau. A beleza verdadeira está alicerçada no único belo, e dele decorre, o Deus Criador. Desse modo, algo pode ser belo mesmo sem ser bonito; é belo por sua essência, por seu propósito e pela maneira como é empregado. A beleza estética tem o seu lugar, como logo veremos, mas precisa estar ancorada nessa realidade para que seja verdadeiramente bela.

Identifiquei claramente essa característica na vida de minha filha, mesmo quando pequena, nos momentos em que via potencial de beleza em objetos comuns. Um dia, enquanto estava levando Seri para o jardim de infância, ela quebrou o silêncio da viagem. "Papai, eu tenho uma ideia. Sabe aquele bastão que você leva quando vai correr de manhã? Quero fazer outros iguais e vender para quem corre". Ela notou que, toda vez que eu saía de casa para correr na trilha, bem cedinho, eu carregava um bastão. Ele tinha quase meio metro, e eu o havia lixado e impermeabilizado com um selante claro. Esse bastão tornou-se meu companheiro constante após várias situações tirando teias de aranha do meu rosto. Peguei essa madeira certa manhã e achei útil colocá-la diante de mim quando eu passava por locais em que mal podia ver as teias de aranha entre as árvores, abrindo o meu caminho quando havia obstáculos indesejáveis que mais de uma vez arruinaram um momento tipicamente tão calmo.

Seri apresentou o seu plano de negócios. "Eu quero pegar algumas madeiras como as suas, pintá-las e decorá-las, então vender nos lugares em que os corredores fazem exercícios, como os parques. Depois, quero usar esse dinheiro para enviar crianças para o Acampamento Hope". Ela mal sabia falar (tinha cinco anos), e, em um segundo, elaborou uma ideia desde o seu conceito até uma aplicação viável de negócio. Além disso, o seu motivo impactou-me. Hope é um acampamento de verão de uma semana feito para crianças do sistema de adoção familiar, crianças que, de outra forma, nunca poderiam frequentar um acampamento, que nunca tiveram uma festa nem um presente de aniversário adequado.

Todo fim de semana, no período de alguns meses, andamos juntos por trilhas e pegamos pedaços de madeira. Quando ela via um no chão, testava a sua qualidade no joelho; se ele não quebrasse, ela o cortava. Depois, ela o descascava, lixava e pintava. Quando perguntei por qual valor planejava vendê-los, ela disse: "Três dólares, ou qualquer quantia que as pessoas queiram dar". E esse se tornou o seu roteiro de vendas toda vez que saía com os bastões coloridos.

"Com licença, senhor. Estou vendendo bastões Hope para enviar crianças que estão no sistema de adoção familiar para o acampamento de verão. Você tem o costume de correr ou de fazer caminhadas? Eles são ótimos para tirar as teias de aranha do caminho ou até animais que o queiram atacar. Custam três dólares, ou qualquer quantia que você queira dar para que essas crianças possam ir ao acampamento."

Toda pessoa que tinha um bom coração colocava a mão no bolso. Ela sempre juntava mais do que 20 dólares por bastão. Naquele verão, pagou para que três estudantes frequentassem o acampamento, porque viu algo belo em um objeto comum e transformou-o em algo agradável, tanto com a sua arte quanto com a sua história. A beleza real, no entanto, não estava no brilho e nos desenhos que ela pintava nos bastões. A beleza que fluía do seu coração é que transformava algo comum em belo.

Quando o jornal da região a entrevistou, o repórter perguntou de onde ela havia tirado a ideia dos bastões Hope. Ela o olhou como se ele tivesse feito uma pergunta tola e respondeu sem pensar duas vezes: "De Deus". Para Seri, a capacidade de ver beleza no que era comum veio de forma natural, porque o mundo ainda não a tinha ensinado a ignorar a atuação de Deus em, dentre todas as coisas, um bastão. Pessoas com a linguagem Jacó, como Seri, veem a beleza sob a superfície e usarão os recursos para extraí-la.

Sua generosidade encontra a prudência; o desejo converge para a disciplina

Pessoas com a linguagem Jacó representam uma combinação das linguagens Abraão e Isaque, a primeira integrando a hospitalidade e o amor espontâneo de Deus; a segunda, a disciplina e a prudência de Deus. Quando Jacó viu Raquel, ficou perdidamente apaixonado, e seu coração irrompia em compromissos para conseguir a sua mão em casamento. Por mais de uma década, ele teria de demonstrar disciplina para cumprir o acordo. A generosidade espontânea do avô de Jacó, Abraão, mistura-se com a coragem e a determinação de seu pai, Isaque. A alma de pessoas com a linguagem Jacó flui com desejo, generosidade e disciplina para obstinadamente buscar o que deseja, e, em seu melhor, restringir suas energias e seus recursos, quando necessário.

As paixões e a compaixão de pessoas com a linguagem Jacó são focadas; então, quando fixam os olhos em algo que acreditam trazer beleza ao mundo, sua disciplina não as deixará desistir. Sabem o que querem e vão desejá-lo com todo o coração.

A união da hospitalidade e da generosidade espontânea com a restrição disciplinada nas almas de pessoas com a linguagem Jacó pode gerar grande beleza no mundo à sua volta, criando, ao mesmo tempo, grande conflito interno enquanto lidam com dinheiro.

Meu amigo Chris, de linguagem Jacó, luta contra esse conflito. Seus pais trabalharam com dedicação para desenvolver sua empresa familiar de aluguéis de casas para temporada e de imóveis. Seu pai abriu a empresa em 1982, e sua mãe administrou os bens da organização meticulosamente. Pelas duas décadas seguintes, a *Ocean Reef Realty* surgiu como líder da indústria ao longo das águas cristalinas de Destin, Flórida. Chris aprendeu o ramo de negócio da família na adolescência e, agora, administra alguns aspectos da empresa com o irmão e os pais.

Hoje, seu negócio supervisiona propriedades multimilionárias às margens da baía; eles reuniram uma equipe de primeira classe, o valor da companhia cresceu excepcionalmente e os donos/administradores da empresa, com os membros da equipe, aproveitam os frutos de décadas de trabalho. Para Chris, todo esse sucesso não veio facilmente, nem seu desfrute acontece sem um conflito interior. Ele está em seus trinta e poucos anos, tendo investido tempo e energia na empresa por praticamente duas décadas. Ainda assim, tem dificuldades com os bens que passam por sua vida.

Sua empresa imobiliária possui boa parte de um complexo de pequenos escritórios, e o primeiro andar do complexo permanecia sem uso. Chris teve uma ideia para o espaço — transformá-lo em um estúdio de gravação de última geração, o qual ele e sua esposa, Gileah, com músicos locais e outros que eles haviam conhecido por todo o país, poderiam usar para gravações enquanto desfrutavam da hospitalidade e da beleza imensa das praias de Destin.

Chris levou-me para um passeio pelo espaço em construção. Enquanto ele caminhava pela laje de concreto com a mão para cima — pintando a imagem de uma potencial cabine de som ao longo de uma parede; o equipamento de mixagem em outro lugar; uma sala isolada à prova de som no outro canto —, eu conseguia visualizar o projeto tão claramente quanto podia sentir o seu entusiasmo. Assim, certa noite, quando ele me enviou pelo celular uma foto da placa de gesso sendo aplicada, liguei para ele a fim de celebrarmos o progresso da obra — e tive uma conversa inesperada.

"Chris, isso ficará ótimo!", exclamei.

Ele respondeu: "Puxa, parece que gastarei muito dinheiro nisso! Estamos fazendo tudo certinho, usando simplesmente o melhor equipamento. Mesmo assim, ainda parece que dinheiro demais será gasto no meu projeto".

Certamente, o orçamento dele era amplo, mas, em comparação com o que ele produziria, o estúdio magnífico que estava criando, e com o número de músicos com recursos escassos que se beneficiaram do espaço, o orçamento parecia razoável. Além disso, em relação aos bens da empresa, as despesas eram minúsculas.

Não acho, porém, que gastar uma grande quantia de dinheiro o incomodava. Penso que gastar uma grande quantia de dinheiro *consigo mesmo* o incomodava. Ele executou a obra, mas ainda teve dificuldades em lidar com a despesa. Seu espírito generoso e hospitaleiro, que desejava criar um espaço em que os músicos desfrutassem da gravação, estava em conflito com sua autodisciplina, que considerava o custo da reforma desse espaço incrível. Além disso, típico das tendências abraâmicas que compõem essa mistura da linguagem Jacó, Chris não tem problema em esbanjar recursos para os outros, mas pensa duas vezes antes de ser bondoso consigo mesmo financeiramente. Chris, como outras pessoas com a linguagem Jacó, vive na fluência da hospitalidade disciplinada, do amor que encontra a lei, da beleza que possui fronteiras.

Criam coisas e experiências bela e são atraídas por elas

Dos seus 12 filhos, Jacó gostava mais de José, aquele que Raquel esperou por tanto tempo em sua esterilidade, o filho que Jacó criou em sua velhice. E Jacó fez para ele "uma túnica de várias cores" (Gênesis 37:3, Almeida Corrigida).

Como vimos, pessoas com a linguagem Jacó veem beleza sob a superfície. Enquanto mantemos essa essência da beleza em mente, não podemos ignorar que pessoas assim produzem, apreciam profundamente e desejam a beleza estética ou a boa aparência. Vimos isso anteriormente na vida de Jacó, quando ele se apaixonou sem reservas por Raquel, cuja beleza as Escrituras descrevem talvez como nenhuma outra mulher em toda a Bíblia.

Agora, vemos Jacó produzindo uma bela roupa para o seu amado filho José. A roupa era tão extravagante, e demonstrou a preferência de Jacó por José tão intensamente, que levou os outros filhos de Jacó a desprezarem José. A roupa deve ter sido incrível, expressando visualmente a profunda afeição de Jacó por seu filho. Pessoas com a linguagem Jacó criam ou apreciam a beleza extravagante, a beleza que atrai a atenção para a bondade da vida, a bondade de Deus.

Minha amiga Vangie tende para o perfil de Jacó. Em tudo o que faz, seja liderando a adoração em canções, seja recebendo as pessoas em sua casa, seja decorando uma casa ou a igreja, ela tem talento para a beleza extravagante e estética. Um dos seus dons principais é tomar um orçamento enxuto e maximizá-lo, personificando as tendências de Isaque que fazem parte da linguagem Jacó, enquanto cria ambientes com beleza impressionante, hospitaleiros, evocando as tendências de Abraão que fluem pela pessoa com a linguagem Jacó. Seus projetos de *design* de interiores trazem brilho e vida a um cômodo. É como se ela visse o mundo de forma diferente de qualquer outra pessoa; ela o vê em todas as cores.

Essa habilidade de fazer a vida brilhar, florescer e atrair a atenção marca a vida de uma pessoa com a linguagem Jacó, e era o traço distintivo do homem, Jacó, que floresceu e prosperou sob circunstâncias difíceis. Quando pessoas com a linguagem Jacó dedicam suas vidas a Deus, a beleza divina flui por elas de maneira deslumbrante. Além disso, tudo o que alguém com esse perfil toca faz ampliar a consciência dos outros acerca da bela presença de Deus entre eles.

Suas emoções conduzem fortemente as aquisições

O narrador bíblico deseja que saibamos isto a respeito de Jacó desde o princípio: ele é um poço profundo. Gênesis 25:27 chama a nossa atenção para a sua essência contemplativa: enquanto o seu irmão percorria os campos para caçar, Jacó ficava em sua tenda, um jovem calmo inclinado a cuidar da mãe. Conforme acompanhamos a história, observamos a manifestação do seu caráter contemplativo, profundo e emotivo de maneiras que recordam o grande, extravagante e intenso amor de Deus por nós. Não obstante, também somos testemunhas do seu desespero profundo, transbordante de dúvida e de medo. Jacó é complexo, um misto de emoções intensas.

Vemos a ansiedade dele crescer enquanto ele dorme sozinho no escuro, ao relento. Em outra cena, assistimos ao anseio dele de reconciliar-se com o irmão, Esaú. Ainda, em outro exemplo, Jacó cultivou um vínculo tão grande com o filho José, que usou pessoalmente os seus recursos para fazer-lhe a túnica extravagante e colorida que mencionamos. Mais tarde, os filhos de Jacó levaram-no a acreditar que José tinha sido devorado por animais e morto, um plano enganoso que envolvia tirar a túnica de José, mergulhá-la no sangue e apresentá-la a Jacó, que rasgou suas vestes e ficou de luto por dias. Ele estava em destroços.

Por causa dessas tendências emotivas e até artísticas, pessoas com a linguagem Jacó ocasionalmente fazem aquisições motivadas fortemente pelo desejo, em vez do pensamento racional e calculado. Elas usarão o seu dinheiro de maneiras que não fazem sentido a pessoas com outras linguagens, especialmente aquelas que veem a vida e as experiências como transações, que examinam o orçamento e são obcecadas pelo planejamento a longo prazo. Pessoas com a linguagem Jacó tendem a viver mais o momento, desfrutando profundamente da vida como ela é, tornando-a mais bela nesse processo pelo modo como usam os recursos.

O seu dinheiro e os seus recursos acompanham as suas paixões, com a emoção conduzindo os compromissos financeiros, o que é um panorama de grande beleza e também de problemas futuros. Pessoas com a linguagem Jacó, que possuem essa característica, mantêm a vida interessante e, em geral, mais bela do que seria normalmente, mas também correm o risco de causar um prejuízo financeiro não intencional, como veremos quando voltarmos a atenção para o seu lado obscuro.

Quando pessoas com a linguagem Jacó encontram algo que desperta o prazer, se houver alguma maneira possível, vão consegui-lo. Já conversei com várias pessoas assim, e elas expressam que, quando se identificam com algo que desejam comprar, são tomadas pela sensação de que precisam comprá-lo. Algumas podem ver essa tendência de apego a um item ou a um recurso como egoísta ou até idólatra. Certamente, se levada ao extremo, pode ser exatamente o caso. Com mais frequência, no entanto, quando uma pessoa com a linguagem Jacó encontra algo que desperta o prazer, sua reação se deve à beleza interior de suas almas conectando-se à beleza da Criação de Deus ou à beleza gerada pelos parceiros de Deus na Criação — você e eu —, e isso gera um intenso desejo por um item ou por uma experiência.

Têm talento para a extravagância

Embora pessoas com a linguagem Jacó equilibrem a hospitalidade espontânea com a disciplina, não significa que a vida delas seja sem sabor ou sem graça, especialmente no modo de lidar com o dinheiro. Elas realmente tendem a usar o dinheiro e os recursos à disposição para criar experiências belas e impressionantes.

Bryan, que é diretor de uma pequena escola particular, demonstra essa tendência de usar os recursos para elevar as experiências a um nível totalmente diferente. Um dia, ele e eu conversamos em seu escritório. Perguntei sobre uma foto na prateleira com um grupo de estudantes do Ensino Médio visivelmente cansados, mas sorrindo de orelha a orelha, enquanto posavam de pé um ao lado do outro em um embarcadouro. Ele me contou que a noite de formatura na última escola em que trabalhou sempre foi uma oportunidade para deixar os adolescentes em apuros. Então, Bryan alavancava cada recurso e cada relacionamento à disposição e criava a mais desejável experiência de formatura que se podia imaginar.

Apesar de não contar seus planos aos alunos, ele despertou a curiosidade o bastante para conseguir cerca de uns 12 que aceitassem a sua proposta — gratuitamente. Eles estavam todos sorrindo e exaustos na foto porque Bryan os manteve de pé a noite toda. Ele começou a noite com um cruzeiro no porto ao entardecer e continuou com uma viagem de helicóptero, um jantar cinco estrelas e uma lista de outras experiências estonteantes. Quando os alunos chegaram à escola na segunda-feira seguinte, aqueles que se contentaram com as travessuras de costume ficaram verdes de inveja. Quando Bryan veio a eles de novo com uma proposta, aceitaram-na.

LADO OBSCURO: autossatisfação

Secretamente, pessoas com a linguagem Jacó usam os recursos para satisfazer aos seus desejos e conseguirão o que querem de qualquer maneira possível. O desejo de trazer beleza ao mundo pela maneira como lidam com os recursos pode dar lugar a um desejo de usar os recursos para esbanjar beleza sobre si. Sua perspectiva hospitaleira e altruísta, bem como sua autodisciplina, é corrompida, e elas se prostram diante do altar do Todo-poderoso.

Jacó é frequentemente criticado por ser enganoso, manipulando situações e recursos para apoiar o seu interesse pessoal, virando a mesa financeira a seu favor, mesmo à custa dos outros. Um exemplo é o modo como adquiriu a primogenitura do irmão.

Outro é quando ele, por causa de um acordo com Labão, manipulou as práticas de procriação das ovelhas para que reproduzissem certo tipo de rebanho, o que possibilitou a Jacó obtê-las no lugar de Labão. A situação é complexa (Gênesis 30:25-43). É claro que Esaú e Jacó fizeram um acordo, mas alguns ainda sugerem que Jacó aproveitou-se da situação; o mesmo se verifica em seu acordo com Labão. Ainda que seja discutível o quanto Jacó foi capcioso, ou se foi um engano realmente justificável dadas as circunstâncias, a tentação é clara, em princípio, em meio a essas situações *cinzentas*: quando pessoas com a linguagem Jacó cedem ao lado obscuro, os recursos passam a ser um meio de satisfazer os próprios desejos a qualquer custo.

Gastos excessivos para manter uma boa aparência

Pessoas com a linguagem Jacó lembram estrelas do *rock* ou celebridades. O talento para a extravagância, que vimos na vida suntuosa de Jacó, e a habilidade de criar a beleza tornam-nas atraentes. No entanto, essa beleza pode vir com um custo insustentável. Em seu melhor, pessoas assim equilibram as virtudes de seus pares, as linguagens Abraão e Isaque. Às vezes, no entanto, a generosidade espontânea, seja consigo mesmas ou com os outros, ultrapassa a disciplina e a prudência.

Satisfazendo aos seus desejos com gastos excessivos, pessoas com a linguagem Jacó lutam para descobrir de que maneira o confronto futuro com um adversário financeiro será solucionado — como vão arcar com as consequências? Talvez você conheça alguém cuja casa é decorada com o mais moderno que as lojas de móveis podem oferecer, ou cujas roupas sempre refletem as últimas tendências, mas que tem problemas para pagar o aluguel. Ora, pode não parecer que estejam a um holerite de distância da ruína financeira, mas as aparências enganam. Você ficaria surpreso em saber quantas pessoas *ricas*, satisfazendo ao desejo de manter as aparências, estão há alguns meses de salário de perder tudo.

Allison representa um exemplo trágico de satisfação financeira egoísta. Mulher perspicaz e excelente executiva, ela abriu muitas empresas, e, com cada novo negócio, suas propriedades multiplicaram-se exponencialmente. Toda vez que Allison tinha sucesso, ela vertia sobre si mesma e sobre os amigos o excesso de sua riqueza. Todo ano comprava um carro novo, um dos seus amigos recebia um barco, outra amiga ganhava uma viagem com tudo pago para o Caribe, o que parecia exagerado, pois sua amiga morava na Flórida. Mas este era o estilo de Allison — aberta e espontânea nas finanças. A vida ao seu redor era um mar de bênção. Às vezes, no entanto, o mar ficava um pouco agitado.

Allison abria várias empresas porque nunca aprendia a manter o seu estilo de vida no mesmo ritmo de crescimento delas. Sua generosidade e sua hospitalidade ultrapassavam sua disciplina. Ela aproveitava toda linha de crédito que tinha. Quando seus gastos superaram a sua renda, sua base tornou-se a sua queda. Amigos e conhecidos, todos souberam quando Allison estacionou na entrada de casa com um carro diferente, mais barato, e falou sobre a maneira como *Deus a quebrantou*, que os tempos eram difíceis. Na verdade, ela nem precisou que Deus falisse as suas empresas — com tempo suficiente, ela mesma faria isso. Em poucos anos, abria e fechava várias sociedades limitadas.

Mesmo sendo sempre generosa com os seus recursos, contribuindo com grandes quantias regularmente para suas organizações sem fins lucrativos favoritas e oferecendo ainda mais aos amigos, a renda de Allison não pôde acompanhar sua hospitalidade e seu estilo de vida extravagante, ou mesmo seu ego. O lado obscuro de Allison lançava uma sombra constante sobre a sua saúde financeira.

Uma vida a todo o vapor, mas vazia

Já analisamos como pessoas com a linguagem Jacó tendem ao dramático, tanto na vida emocional quanto na maneira de usar o dinheiro. Novamente, essa característica pode trazer beleza ao mundo de um modo maravilhoso. Nos bastidores, todavia, pode também tornar uma pessoa com a linguagem Jacó vazia.

A Bíblia ensina que aqueles que perseguem a riqueza o fazem sob o risco de trazer dor a suas almas (1Timóteo 6:9). O dinheiro é moralmente neutro em si mesmo, mas também é vazio, e a sua busca como fonte de prazer é perigosa. Pensar que ter mais dinheiro trará satisfação é uma premissa equivocada. Acreditar que criar experiências boas ou rodear-se de beleza preencherá o anseio da alma, que é basicamente o anseio pelo bom e belo Deus, levará a querer mais e mais desesperadamente — nunca nada é o bastante: férias, carros ou noites na cidade; o que imaginar. Encheremos a vida de coisas e ainda nos sentiremos vazios. Muitas pessoas que conheço, com recursos para estarem rodeadas de uma parcela inimaginável de beleza, são também as mais falidas emocionalmente.

Como aprendemos com a vida de Jacó, se cultivarmos a presença de Deus em nossos recursos — como ele fez, honrando Deus ao derramar óleo em uma pedra para lembrar-se, e também os outros, daquilo que Deus fez —, evitaremos fazer do dinheiro, ou de belas coisas e experiências, a fonte de nossa alegria. Os recursos continuarão sendo uma ferramenta para trazer a beleza de Deus ao mundo, em vez de um objetivo que buscamos por si só, uma forma de idolatria.

Crescimento na saúde financeira
Reconheça o seu desejo de trazer beleza ao mundo

Se não existissem pessoas com a linguagem Jacó, o mundo teria menos cor. Você muitas vezes é visto como aquele que pode transformar uma situação intensa ou que, talvez, traga uma nova e criativa perspectiva sobre um projeto, uma casa ou uma situação, conferindo-lhes beleza. Outros podem observar a maneira como lida com dinheiro e pensar que você é extravagante. Esse pode ser o caso. No entanto, é mais provável que você veja o mundo com mais cores do que uma pessoa comum, podendo ser por meio da música, do *design*, da arte ou até mesmo dos relacionamentos — você vê o que algo pode ser em contraste com o que é. Ama profundamente, portanto, use o dinheiro de forma responsável para expressar esse amor profundo pelo mundo.

Assuma o seu propósito; afirme a sua tendência de criar beleza em parceria com Deus, que faz tudo belo a seu tempo (Eclesiastes 3:11). Você pode ter resistido a suas inclinações para a beleza; talvez lhe tenham dito que as pessoas de fé devem evitar a beleza, adotando, em vez disso, uma vida mais austera. Teríamos de contrariar toda a Escritura e a revelação da beleza de Deus na Criação para levá-los a sério, então, não faça isso. Deixe a beleza fluir em seu interior e por meio de você, porque Deus é lindo.

Aceite que terá um dilema entre a hospitalidade e a disciplina

Você sempre lutará com o conflito entre a hospitalidade e a disciplina — isto é, entre a generosidade exagerada e espontânea que extravasa da sua alma e o sentimento de que poderia aproveitar melhor o seu dinheiro. Isso é o planejado, mantém o seu equilíbrio — você expressa o melhor de Abraão e de Isaque, conciliando hospitalidade com disciplina financeira. Estar ciente de que você terá de lidar com esse conflito é o primeiro passo para fazer as pazes com o seu desígnio financeiro. Enxergar essa característica como um dom que o preserva de escorregar para a autossatisfação conservará a sua humildade na melhor das maneiras.

Continue pensando nas pessoas

A beleza não se resume a você propriamente. Você está aqui para trazer a verdadeira beleza de Deus ao mundo ao seu redor; a combinação de hospitalidade com disciplina é extremamente necessária para tal. Muitas culturas celebram a extravagância pessoal, levando ao estrelato aquelas com talento e influência. Deixe que o seu espírito hospitaleiro continuamente o oriente em favor do próximo, protegendo-o da autossatisfação e, por fim, do egoísmo. Com frequência, diz-se que somos abençoados para que possamos ser uma bênção. Mesmo não falando sobre dinheiro explicitamente, o princípio que o apóstolo Paulo estabelece se aplica ao modo como lidamos com as finanças: Deus nos consola "para que, com a consolação que recebemos de Deus, possamos consolar os que estão passando por tribulações" (2Coríntios 1:4). Em seu melhor, isso vem de forma natural. Quando o lado obscuro lança-se sobre as suas finanças, você verte muita energia financeira sobre si mesmo.

Estabeleça ritmos de graça em seus investimentos que o orientem em direção ao próximo. Talvez uma escola local careça de recursos, algum parente esteja em uma fase difícil ou uma organização necessite de pessoas que contribuam com tempo e dinheiro. Ser uma pessoa centrada em Deus leva-o a pensar nos outros com o lindo amor divino. Essa postura evitará que você pense demais em si mesmo e que caia no orgulho.

Planeje-se para o futuro

Uma maneira de preservar-se do lado obscuro é ter uma visão a longo prazo das consequências de suas decisões. Você precisa garantir que, em meio a todas as oportunidades de hoje com as quais se envolve pelos desejos do seu coração, esteja planejado financeiramente para o que o seu coração desejará mais adiante. Depois de cuidar primeiro das necessidades essenciais (contas utilitárias, poupança, alimentação etc.), tenha um plano financeiro sustentável em longo prazo que o permita ser uma bênção para o mundo nos anos vindouros.

Quanto à sua vida financeira, você gosta de viver o agora, mas precisa planejar-se para os momentos que virão.

Reconheça os seus limites financeiros

Lembre-se de que os limites mantêm todas as coisas belas. O Senhor estabelece os limites entre a terra e o céu, entre o mar e a terra. Saiba até onde você pode ir, e, quando tiver dificuldade em discernir isso ou em ter uma visão mais ampla, peça a ajuda de alguém. Pode ser difícil refrear as suas energias, ou até o seu dinheiro; então, seria bom criar um orçamento para projetos e pessoas que você deseja abençoar com o seu toque criativo. Os outros podem querer drenar a sua vida e os seus recursos, portanto, perceba que não existe nada belo em uma sanguessuga — você terá de retirá-las das suas finanças e seguir em frente. Honre os seus limites e traga beleza às coisas no espaço entre eles.

Evite ser o centro das atenções

Jesus ensinou que, no momento de dar alguma coisa, a mão esquerda não deve saber o que a direita está fazendo (Mateus 6:3). Ele conhecia a tendência do coração humano de querer levar os méritos pelo bem que foi feito ou, talvez, de usar uma contribuição financeira como alavanca para quando se precisasse de algum favor. Evite essa tentação a todo custo. Naquilo que estiver ao seu alcance, seja generoso discretamente, em segredo, e não permita que a pessoa saiba de onde veio o bom presente. Fundamentalmente, você espera que ela suspeite tratar-se de uma bênção de Deus. Afinal de contas, este é o seu propósito: chamar a atenção para a beleza de Deus.

Da vergonha ao prazer: uma pessoa com a linguagem Jacó aceita o seu propósito

Deidre curvou a cabeça e sentou-se em silêncio: "Sempre achei que isto era pecado, o meu gosto por coisas bonitas, por criar espaços lindos e decorados, o meu amor por joias e bons sapatos. Pode parecer estúpido, mas eu me envergonho disso desde que me entendo por gente". O resto do grupo estava sentado em silêncio. Estávamos estudando a linguagem financeira Jacó, e Deidre estava experimentando um momento de conscientização sobre sua maneira e sua motivação de pensar em dinheiro como fazia e de sentir-se em relação a ele.

"Você consegue lembrar a primeira vez que sentiu vergonha de seu gosto por coisas boas?", uma pessoa do grupo perguntou.

"Não recordo em qual idade", ela respondeu, "mas eu me lembro de estar na igreja. O pregador disse que não podíamos amar nada do mundo e que devíamos desejar somente as coisas celestiais."

Já ouvi esta doutrina equivocada muitas vezes: se você amar as coisas do mundo, não pode amar nem se dedicar a Deus. Com certeza, existe a possibilidade de nos concentrarmos demais em coisas que não têm importância eterna, mas é antibíblico e perigoso sugerir que a terra boa de Deus e os seus recursos devam ser desprezados e não desfrutados. Trata-se de um dualismo neoplatônico; não faz parte nem da teologia cristã nem da judaica.

Quanto mais conversávamos, e quanto mais descobríamos como Deus usou a vida de Jacó para revelar o princípio de que podemos e devemos usar os recursos para trazer beleza ao mundo, mais à vontade Deidre ficava. Na semana seguinte, ela entrou na sala usando brincos brilhantes e sapatos lindos de salto alto. Sorriu e disse: "Escutem, já passei tempo demais me vestindo com simplicidade para agradar a todos, e eu me senti muito mal. Já está na hora de assumir quem eu sou". Nós todos sorrimos enquanto presenciávamos uma amiga querida eliminar a culpa que a tinha atormentado por tanto tempo. Além disso, para que você não pense que Deidre transformou-se em uma narcisista que só pensa em si mesma, ficará feliz em saber que, na semana seguinte, sua empresa postou nas redes sociais fotos dela e de suas colegas, todas usando calças *jeans* surradas, construindo uma casa para uma mãe solteira.

Uma bênção
para pessoas com a linguagem Jacó

Vemos Deus em você — no seu amor pela beleza, uma beleza que perdura. Faz-nos lembrar de que existe algo além de simplesmente realizar tarefas. Conviver com você é revigorante. Provoca-nos a parar, a refletir e a olhar os lírios do campo. Os cenários que cria curam a nossa alma — sentimos a beleza de Deus nos espaços e nos lugares que desfrutamos com você. A vida é verdadeiramente boa quando estamos ao seu lado. Vemos Deus brilhar em sua presença bela e criativa.

Passagens bíblicas
para a alma bela

Leia as passagens bíblicas a seguir, cada uma acompanhada de palavras para personalizar este exercício. Veja a passagem com a qual você mais se identifica. Então, leia-a calmamente em voz alta várias vezes, escreva-a e medite sobre ela até que possa memorizá-la. Pelos próximos dias, certifique-se de saber que você transmite o amor de Deus ao mundo de maneira significativa e que as Escrituras confirmam o seu modo de ser no mundo com relação aos recursos.

Fui criado para ver a beleza de Deus ao meu redor, porque "Os céus declaram a glória de Deus; o firmamento proclama a obra das suas mãos" (Salmos 19:1).

Sou chamado a contemplar "tudo o que for verdadeiro, tudo o que for nobre, tudo o que for correto, tudo o que for puro, tudo o que for amável, tudo o que for de boa fama, se houver algo de excelente ou digno de louvor" (Filipenses 4:8).

Meu desejo é ver a beleza de Deus brilhar na terra. "Uma coisa pedi ao Senhor, é o que procuro: que eu possa viver na casa do Senhor todos os dias da minha vida, para contemplar a bondade do Senhor e buscar sua orientação no seu templo" (Salmos 27:4).

Perguntas para reflexão
para pessoas com a linguagem **Jacó**

- Como você usa o dinheiro para criar belos ambientes e experiências? Como isso o faz sentir?
- Quem mais em sua vida tem a linguagem Jacó?
- Das principais características ou histórias de Jacó ou de pessoas com a linguagem Jacó, com qual você mais se identificou e por quê? Como você se vê à luz dessa característica ou história?
- Você tem algum conflito financeiro com alguém? Se tiver, como a sua linguagem financeira Jacó pode ter contribuição nesse conflito?
- O que você planeja fazer de diferente com o seu dinheiro agora que entende a sua linguagem financeira Jacó?
- Qual é a maior verdade que você aprendeu sobre a linguagem financeira Jacó?

CAPÍTULO CINCO

Linguagem nº 4

José: Conectividade

O Senhor estava com José, de modo que este prosperou [...].

Gênesis 39:2

Faraó acordou chateado. Ele não conseguia esquecer seu sonho — sete vacas saudáveis devoradas por sete vacas feias e esqueléticas; sete espigas de trigo graúdas e saudáveis devoradas por sete espigas de trigo magras e ressecadas. O sonho reservava um sentido mais profundo, portanto, o faraó chamou todos os magos e sábios do Egito para interpretá-lo. Mas ninguém conseguia decifrar a mensagem. Lembrando-se de seu companheiro de prisão que conseguia interpretar sonhos, o copeiro do faraó mencionou a ele as habilidades de José. Em questão de minutos, José foi levado apressadamente à presença do homem mais poderoso do mundo por uma razão — interpretar o seu sonho.

O faraó disse a José: "Tive um sonho que ninguém consegue interpretar. Mas ouvi falar que você, ao ouvir um sonho, é capaz de interpretá-lo" (Gênesis 41:15). José respondeu ao faraó, dizendo: "Isso não depende de mim, mas Deus dará ao faraó uma resposta favorável" (Gênesis 41:16). O faraó contou o sonho da forma que lhe ocorreu, e José proferiu a interpretação — sete anos de fartura serão seguidos de sete anos de fome. Ele disse ao faraó, "Procure agora o faraó um homem criterioso e sábio e coloque-o no comando da terra do Egito. O faraó também deve estabelecer supervisores para recolher um quinto da colheita do Egito durante os sete anos de fartura" (Gênesis 41:33-34). José tinha acabado de descrever o seu trabalho, e o faraó deu-lhe autoridade sobre toda a terra do Egito.

José, agora com 39 anos de idade, viajou por todo o Egito, armazenando cereais durante os sete anos de fartura. Ele separou um quinto da safra de todos os grãos a cada ano, deixando quatro quintos com os fazendeiros. Os 20% que José separou foram armazenados para o período de fome, o que, a este ponto, só existia na mente da elite do Egito. Para alguns, deve ter parecido um ato sem sentido de paranoia — por que armazenar cereais para o caso de algo ruim acontecer quando o ano foi de colheita abundante? Além disso, quem se importa se os cereais estão sendo armazenados em um momento de tanta abundância? José tanto separou, que pararam de contar. Depois, a sorte mudou.

Os sete anos de abundância terminaram e, como José predisse, começaram os sete anos de fome. O mundo inteiro precisava de comida, e, por causa do trabalho de José, havia pão no Egito. Multidões vinham dos quatro cantos da terra para se alimentar das reservas. José administrava os recursos, que eram o eixo ao redor do qual toda a economia girava.

José revela-nos um aspecto geralmente ignorado da imagem de Deus — a conectividade. Paulo, apóstolo da igreja primitiva, citou os filósofos e a sabedoria de sua época quando disse que em Deus vivemos, nos movemos e existimos — sendo Deus sobre todos, por meio de todos e em todos — e que todas as coisas foram criadas para, por e em Deus (Atos 17:28; Efésios 4:6; Colossenses 1:16). Deus é o elo comum pelo qual o mundo se mantém unido, a trama da nossa existência, conectando uma coisa ou pessoa a outra. A tradição judaica considera José o conector, ou mesmo o fundamento do povo de Israel, aquele capaz de manter as coisas unidas e preservar a existência em tempos difíceis. José conectou a vontade de Deus no céu com as economias práticas da terra e fez a sua vontade. Suas conexões abriram as portas para que ele estivesse no lugar certo, na hora certa e com a perspectiva certa.

CRENÇA BÁSICA: o dinheiro abre portas e cria conexões

Pessoas com a linguagem José veem o dinheiro e outros recursos como meios de criar conexões. É interessante notar que o nome José significa, literalmente, "aquele que acrescenta", e ele estava sempre conectando uma coisa a outra. Pessoas assim vivem nesse mesmo ideal. Enxergam a relação entre todas as coisas. Fazem conexões entre ideias, produtos, processos e relacionamentos. Elas veem o dinheiro como uma ferramenta para criar pontes entre partes que não parecem ter nenhuma relação, gerando um todo coeso em que um elemento está conectado a outro e recebe dele força e oportunidade.

Essas pessoas veem o dinheiro como um meio de abrir as portas da oportunidade para si mesmas e para os outros. Como José foi um bom administrador dos recursos na casa de Potifar, na prisão e para o faraó, era continuamente promovido e evoluía em sua carreira, mesmo quando o fracasso parecia certo. A maneira como ele conduzia os recursos liberava potencial em sua vida, abrindo caminho para que ele fosse a pessoa mais poderosa da terra e, também, abrindo as portas da oportunidade para a sua família — tudo em razão do seu grande apreço pela administração de recursos e da sua confiança e atenção no agir de Deus em sua vida. Para pessoas com a linguagem José, nunca se trata exclusivamente do dinheiro, mas sim do que ele possibilita. Estão sempre unindo o presente ao futuro, e os recursos, administrados adequadamente, constituem a chave mestra que abre as portas para o futuro.

Pessoas com a linguagem José acreditam que o dinheiro deve ser usado para construir e fortalecer relacionamentos, ajudando-as a fazer as conexões necessárias. Vemos na vida de José, no Egito, que o seu modo de administrar continuamente lhe proporcionava acesso e ligação a pessoas importantes ao seu redor: a autoridade sobre os companheiros de prisão; a gestão concedida da casa de Potifar; a unção como segundo homem no comando de todo o Egito — tudo porque ele sabia o que fazer com os recursos. Pessoas assim acreditam que o dinheiro deve ser usado para iniciar e fortalecer relacionamentos; utilizarão os recursos à disposição para ter acesso àqueles que consideram necessários em suas vidas. Usam o dinheiro para criar uma rede de contatos e para construir relacionamentos, e, por causa disso, o seu calendário está repleto de almoços e cafés sociais. Sempre estão com alguém.

Elas também podem ser conectoras de um modo mais subjetivo ou intuitivo — podem ser indivíduos com discernimento singular. José interpretou os sonhos do faraó, então os desenvolveu e conectou a planos para administrar os recursos de um jeito prático e inteligente, o que preservou o Egito e o povo de Deus durante a fome (Gênesis 41).

O pastor George assume muitas características da linguagem José. George foi pastor em uma igreja de 300 pessoas em uma comunidade rural. Pode-se dizer que ele era o Andy Griffith da cidade, usando gravata-borboleta em todos os lugares a que ia (o único homem da cidade a fazer isso) e conhecendo todas as pessoas e os seus filhos pelo nome. A cada manhã, por mais de duas décadas, frequentou a mesma cafeteria da esquina, sentou-se ao mesmo balcão e fez o mesmo pedido. George sabia tudo sobre aquela cidadezinha porque ele se fez disponível; valorizava os relacionamentos e via-os como o segredo para uma carreira de sucesso. Todo mundo conhecia George, e ele conhecia todo mundo. Ele era, na prática, o prefeito da cidade, mesmo sem nunca ter sido nomeado formalmente para o cargo.

Embora o pastor George não fosse um homem rico, ele usava o seu salário pastoral tanto no restaurante da esquina quanto em seus contatos diários, a fim de criar relacionamentos importantes. Quando ele faleceu, toda a cidade compareceu ao enterro. Em um sentido real, George não apenas pastoreou a igreja local, mas sim a comunidade.

Ele poderia ter economizado uma pilha de dinheiro por todos aqueles anos, apenas tomando café em casa. No entanto, as duas décadas em que ele simplesmente se fez presente, dia após dia, acabaram sendo o investimento mais importante que poderia ter feito. George era um conector, e a maior parte do dinheiro disponível que ele conquistou era investida na construção de relacionamentos.

Assim como José, que tinha o dom de administrar os recursos de modo a criar conexões relacionais no processo, pessoas com a linguagem José, como o pastor George, veem o dinheiro como uma maneira de criar uma rede de contatos, fazer e fortalecer amizades, bem como construir uma rede de relacionamentos que apoiem tanto a sua felicidade quanto, por fim, a sua prosperidade. Elas usam boa parte de sua renda, talvez mais do que a maioria, para unir e envolver pessoas, projetos e organizações. Essas conexões revelam-se mutuamente benéficas.

PRINCIPAIS CARACTERÍSTICAS
de pessoas com a linguagem José

Veem o acesso aos recursos como um dever sagrado

Quando os irmãos de José o lançaram em uma cova e o venderam como escravo, ele foi revendido pelos mercadores a Potifar, um dos oficiais egípcios do faraó e capitão da guarda (Gênesis 37:36). Eventualmente, como José ganhou confiança ao demonstrar responsabilidade e competência na administração dos recursos, apegou-se a Potifar e ganhou o seu favor, e este deu a ele autoridade sobre tudo o que tinha. Quando José estava no comando, Potifar "não se preocupava com coisa alguma, exceto com sua própria comida" (Gênesis 39:6).

Em uma situação parecida, mas potencialmente destrutiva, a mesma coisa aconteceu quando José foi acusado falsamente de um ato indecente com a mulher de Potifar e lançado na prisão: ele foi colocado no comando de todos os prisioneiros depois de ter demonstrado aptidão administrativa (Gênesis 39:22-23). O modo como José administrou os recursos e as tarefas diárias na casa de Potifar abriu-lhe portas — a sua competência criou conexões, e as suas conexões criaram oportunidades.

Como José, pessoas com essa linguagem levam bem a sério a administração dos recursos, especialmente quando eles pertencem a outro indivíduo. Elas veem isso como um dever sagrado, o qual, se cuidado adequadamente, levará à concessão de mais confiança. José sempre começou por baixo e progrediu em sua carreira. Você observará, enquanto estuda a vida de José, que a sua posição mais alta sempre foi como o segundo no comando, mas isso não parecia preocupá-lo. Sua prioridade era cuidar dos recursos de outras pessoas, e a razão pela qual ele alcançou esse acesso, praticamente sem supervisão, aos recursos alheios foi o fato de levá-los tão a sério quanto os seus próprios. Ele sabia que Deus cuidaria do restante, mesmo de sua própria promoção e de seu bem-estar.

São capazes de criar e otimizar os sistemas financeiros

Muitas pessoas com a linguagem José são também administradoras competentes que conseguem criar sistemas financeiros — elas partem de uma ideia, então criam um plano ou um processo que leva ao êxito. Sua mente de conectividade ajuda-as a discernir como uma coisa flui para e de outra, como o sistema funciona e como pode funcionar melhor. Elas fazem uma polinização cruzada, conectando os pontos entre uma coisa e outra. Vão impressioná-lo com a sua habilidade de extrair sentido de eventos ou de informações aparentemente díspares.

A maneira como José criou sistemas para coletar e racionar comida no Egito ilustra essa característica: ele separou um quinto de toda a colheita anteriormente ao período de fome e distribuiu as reservas durante a escassez de acordo com as necessidades das pessoas, baseando-se no número de dependentes. Enquanto uma pessoa com a linguagem Abraão é espontânea em sua hospitalidade e em sua generosidade, às vezes mais do que o necessário, uma pessoa com a linguagem José é sistemática, dando o que é necessário para que os demais tenham as oportunidades de que precisam para continuar.

A perspicácia administrativa que surge naturalmente em muitas pessoas com a linguagem José garante que a ordem surja da desorganização. A administração, para pessoas assim, é mais do que simplesmente organizar clipes de papel e fazer telefonemas para executivos do alto escalão — elas podem até não ser tão meticulosas como as pessoas com a linguagem Moisés. A administração é um dom espiritual, uma capacidade única dada por Deus, que permite a alguém descobrir o mapa exato entre a situação presente e o que precisa revelar-se. Essa percepção administrativa capacita pessoas com a linguagem José a *trabalhar o sistema*, o que, como você logo descobrirá, pode alimentar o seu lado obscuro. Essas pessoas organizam os seus recursos e criam sistemas e planos para alcançar os fins desejados. Assemelham-se àquelas com a linguagem Isaque em um aspecto: têm o dom de criar processos que geram dinheiro e que minimizam o desperdício.

Acreditam que ajudar os outros a ter sucesso faz parte do seu próprio sucesso

Um padrão surge na vida de José quando se lê a sua história do início ao fim. Inicialmente, ele é lançado em um poço e vendido como escravo, mas, em seguida, ele está no topo da pirâmide como cabeça da casa do chefe da guarda do faraó. Depois, é falsamente acusado de um crime e acaba na prisão, mas, então, ele é colocado no comando de todos os prisioneiros. Finalmente, a ele é atribuído o comando de todos no Egito, atrás apenas da autoridade do faraó. Por quê?

Porque ele aproveitou ao máximo todas as oportunidades, administrando adequadamente os recursos de outras pessoas onde quer que estivesse, e, por causa disso, era sempre digno de confiança. Sua cuidadosa administração, ajudando os outros a ter sucesso, levou ao seu próprio sucesso. Ele era digno de confiança porque sempre buscou o benefício do próximo, nunca somente o seu. Por esse motivo, José era continuamente promovido. Quando a maré enche, todos os barcos sobem, e pessoas com a linguagem José querem que os outros sejam bem-sucedidos tanto quanto desejam o próprio sucesso.

Certa vez, um amigo apresentou uma palestra sobre a importância de estabelecer bons contatos e de envolver-se na comunidade. Ele contou a seguinte história, que demonstra de forma excelente a mentalidade de uma pessoa com a linguagem José.

> Era uma vez um fazendeiro que plantava milho de primeira categoria. Todo ano, ele concorria na feira estadual, na qual ganhava uma faixa azul. Certo ano, um repórter o entrevistou e aprendeu algo interessante sobre o seu plantio. O repórter descobriu que o fazendeiro compartilhava as suas sementes com os vizinhos. "Como você pode dar-se ao luxo de compartilhar a sua melhor semente de milho com os vizinhos justamente quando eles competem com o seu milho todo ano?", perguntou o repórter. "Por que, senhor", disse o fazendeiro, "você não sabia?" O vento leva o pólen do milho que está amadurecendo e o faz rodear de campo a campo. Se os meus vizinhos plantarem milho inferior, a polinização cruzada derrubará fortemente a qualidade do meu milho. Se eu quiser plantar um milho bom, tenho que ajudar os meus vizinhos a plantar milho bom".

Ele tem muita consciência da conectividade da vida. O seu milho não pode se desenvolver a menos que o milho do seu vizinho se desenvolva. O mesmo acontece com a nossa vida. Aqueles que escolhem viver em paz devem ajudar os seus vizinhos a viver em paz. Aqueles que escolhem viver bem devem ajudar os outros a viver bem, porque o valor de uma vida é medido pelas vidas impactadas por ela. E aqueles que escolhem ser felizes devem ajudar os outros a encontrar a felicidade, porque o bem-estar de cada um está ligado ao bem-estar de todos. A lição para cada um de nós é esta: se formos plantar milho bom, devemos ajudar os nossos vizinhos a plantar milho bom.[10]

Meu amigo Jay é um grande exemplo da linguagem José. Eu sabia que ele tinha influência em nossa cidade, mas não entendia o motivo. Descobri que o segredo para o sucesso de Jay era a sua habilidade aguçada não somente para administrar ativos financeiros, como consultor na gestão de patrimônios, mas também para criar conexões, buscando melhorar a capacidade e a influência daqueles ao seu redor.

Jay investe seu tempo e seu dinheiro no apoio a organizações sem fins lucrativos locais e no desenvolvimento de negócios, muitos dos quais fazem um bem imenso tanto localmente quanto no exterior, para aliviar o sofrimento humano e desenvolver líderes. Ele é liberal com o seu dinheiro, e, por causa de sua generosidade e sabedoria, as pessoas convidam Jay para colaborar em projetos ou em iniciativas, para fazer parte de administrações e de conselhos. Isso somente fortalece a sua rede de relacionamentos, o que, por sua vez, apoia o seu próprio trabalho, o seu ministério e a sua estabilidade financeira.

Típico de uma linguagem José saudável, Jay conecta as necessidades das pessoas a oportunidades que sejam boas para elas e não é impulsionado a ajudar os outros por interesse próprio. Henri Nouwen exemplifica esse princípio por meio de alguns pensamentos sobre arrecadação de fundos e sobre investimento: "O ponto de vista do evangelho diz às pessoas:

'Tomarei o dinheiro e investirei somente se for bom para a sua jornada espiritual, somente se for bom para a sua saúde espiritual'".[11] Pessoas com a linguagem José começam com o que é melhor para o próximo porque sabem que isso vai beneficiar o máximo de pessoas e o Reino de Deus a longo prazo.

Jay é o tipo de pessoa com quem você deseja unir-se caso esteja em um período de transição ou buscando acesso a contatos importantes que lhe possam abrir portas. Ele é uma espécie de porteiro. Parecia que, todos os dias, Jay estava almoçando com alguém, conversando sobre objetivos financeiros ou de carreira de outra pessoa ou, talvez, dirigindo-se a alguma organização sem fins lucrativos ou a algum líder da nossa comunidade que estivesse planejando algum evento com impacto positivo na cidade. Com certeza, consultores de gestão de patrimônios desenvolvem muitos contatos com clientes em potencial; no entanto, a rede de contatos de Jay superou tudo o que se pode esperar nesse sentido, levando-o muito além das oportunidades de negócio pessoais.

Pessoas com a linguagem José, como Jay, sempre parecem apresentar-se. Se houver algo importante sendo preparado em uma empresa ou na comunidade, o desejo de ver as pessoas e a comunidade bem-sucedidas vai atraí-las para o local. Elas também se sentem impelidas a participar de uma conversa em razão de sua habilidade para fazer as coisas acontecerem, sendo conhecidas como bem conectadas, portanto, são pessoas de influência cuja presença é desejável e valiosa.

Usam seus contatos para ajudar os outros

A vida de José criou uma espécie de efeito de aura, fazendo a luz brilhar não somente em sua própria vida, mas também na vida dos que estavam ao seu redor. José era o conector entre as 12 tribos de Israel (seus irmãos) e a oportunidade de serem um povo sólido. Se não fosse por José, elas teriam morrido de fome durante o período de escassez. José manteve o sonho vivo para que o povo de Deus fosse bem-sucedido.

Continuamente vemos José provendo a alguém, e esta é uma característica de pessoas com a linguagem José — elas usam os seus recursos para criar contatos que apoiem os outros. Quando enviou os seus irmãos, que estavam no Egito, para casa, José disse-lhes: "Eu te sustentarei ali, porque ainda haverá cinco anos de fome. Do contrário, tu, a tua família e todos os teus rebanhos acabarão na miséria" (Gênesis 45:11). Novamente, em Gênesis 47:12, diz-se sobre José: "Providenciou também sustento para seu pai, para seus irmãos e para toda a sua família, de acordo com o número de filhos de cada um".

Eventualmente, observamos que "de toda a terra vinha gente ao Egito para comprar trigo de José" (Gênesis 41:57). José tornou-se o eixo em torno do qual toda a economia de sua época girava, usando essa influência para sustentar muitas pessoas (Gênesis 50:20). A influência de José não se baseava na posse de recursos, mas sim no seu acesso a eles. A conectividade fundamenta-se neste princípio: o acesso, não necessariamente a posse, é a semente da oportunidade. Pessoas com a linguagem José são provedoras bem conectadas; o seu sucesso as capacita para prover aos outros.

Elas recorrem aos seus recursos, até à sua rede de relacionamentos, para conectar aquele que se encontra em necessidade à oportunidade. Mais ao final da narrativa de José, os mesmos familiares que o lançaram no poço e colocaram uma etiqueta de preço sobre a sua cabeça receberam oportunidades de trabalho no Egito por causa da conectividade de José. Pessoas com a linguagem José têm muitos recursos porque parecem conhecer todo o mundo e tudo o que está acontecendo; sua rede serve como um manancial de recursos para aqueles que estão em transição, em desespero ou em busca de alguma oportunidade.

Concentram-se amplamente no futuro financeiro

José teve um vislumbre do seu futuro através da lente de dois sonhos inspiradores. Em um, 11 feixes de trigo curvavam-se diante dele. No outro, o sol, a lua e 11 estrelas curvavam-se diante dele. De acordo com os sonhos, a família de José, um dia, de um modo ou de outro, estaria curvada perante ele. José fez o que parecia ser, a princípio, um erro da juventude, contando os sonhos a sua família. Por fim, com o desenrolar da história, essa atitude levou a uma série de acontecimentos que culminaram na realização dos sonhos e na salvação de sua família da fome. Há pouco tempo, compartilhar um sonho tinha levado José ao fundo de um poço sem água, sendo acusado falsamente de um crime e jogado na prisão. José pegou o que parecia ser uma onda de azar. Mas, olhando para trás, conseguimos ver que tudo isso o atraiu para as coisas boas que Deus tinha reservado a ele.

Pessoas com a linguagem José são sonhadoras. Passam boa parte do tempo imaginando o que o futuro reserva, e isso influencia as suas atividades diárias e o modo como gastam o dinheiro. Enquanto alguns se contentam em aproveitar a vida como ela é, sem pensar muito no futuro, pessoas com a linguagem José têm uma imagem bem clara do que esperam que a sua vida traga nos anos vindouros. Elas, mais do que a maioria das pessoas de outras linguagens, orientam-se para o futuro, agindo no presente à luz dos sonhos para os dias que virão.

Sempre imaginando o que vem em seguida, o marido de Liz, Rodney, voltou do trabalho com a seguinte declaração: "Descobri um jeito de comprar o Edifício Wachovia!", ele exclamou com toda a certeza.

"Como?", a esposa respondeu. Ela estava pagando as contas na mesa da cozinha.

"O Edifício Wachovia."

A primeira coisa que Liz pensou foi o que qualquer pessoa coerente poderia pensar: "Ele perdeu o juízo!". Eles eram donos de uma pequena empresa de sucesso, mas comprar um dos maiores e mais caros arranha-céus da cidade não estava muito ao alcance do orçamento.

"Rodney, não podemos comprar o Edifício Wachovia! De onde você tirou essa ideia?"

Rodney recuou, desequilibrado, como se ela tivesse dado um golpe em seu ego.

"Eu não disse que compraria o Edifício Wachovia. Eu disse que descobri a maneira de comprar o Edifício Wachovia."

Liz tomou fôlego e suspirou. "Ai, Rodney, você está sempre sonhando com alguma coisa."

Ela estava absolutamente certa. Rodney estava sempre sonhando com alguma coisa. Alguns dos seus sonhos realmente se concretizaram, desde possuir quase toda uma rua de propriedades de aluguel até começar o próprio negócio, adquirindo uma fazenda e fornecendo animais de terapia para pessoas com problemas cognitivos. Liz amava os sonhos de Rodney, ainda que, às vezes, a extensão desses sonhos fosse desconcertante, como a ideia de comprar o Edifício Wachovia. Os sonhos de Rodney, no entanto, tinham como se tornar realidade. Ele estava sempre estudando os mercados e conversando com especialistas em imóveis, finanças e planejamento urbano. Rodney sabia o que despontava no horizonte e, mais do que isso, ele podia confiar nos seus *palpites* porque, geralmente, eles estavam certos no que se refere a negócios.

O conjunto de imóveis de aluguel que eles tinham era muitas vezes colocado à disposição, gratuitamente ou por um preço reduzido, de casais envolvidos no ministério e de missionários. Ele nunca comprou o Edifício Wachovia, mas, francamente, não seria surpresa se ele o tivesse feito. Rodney, como mais uma pessoa com a linguagem José, era um sonhador; ele estava centrado em enriquecer a vida da sua família e daqueles ao redor pelo seu modo de usar o dinheiro.

Têm fortes intuições sobre a situação financeira futura

Por meio de suas inclinações a respeito do futuro, algumas pessoas com a linguagem José compartilham uma característica afim e, de alguma forma, incomum: sua habilidade de sentir as "chuvas financeiras" à frente. Alguns idosos disseram-me que podem sentir a chuva em seus ossos antes que a primeira nuvem surja no céu. Já passei pela situação de estar no barco com meu avô no momento em que ele sentiu cheiro de chuva, apesar de eu só conseguir ver um céu limpo.

Alguns diriam que essa intuição vem da sabedoria acumulada em experiências anteriores, enquanto outros sugeririam que certas pessoas simplesmente sabem o que sabem. Seja como for, essas pessoas estavam continuamente certas, e a maneira por que sabem o que sabem sempre esteve além da minha esfera de compreensão. Eu só me contentava em escapar da chuva.

Eis o que sempre me intrigou sobre as pessoas com a linguagem José, embora seja preciso ter o cuidado de não presumir que se trate de uma habilidade simplesmente aprendida ou que todas elas representem essa propensão ou habilidade: algumas pessoas com essa linguagem realmente têm intuições sobre eventos por acontecer. Como José, que interpretou os sonhos do faraó, afirmando que esse tipo de percepção foi dado por Deus, algumas pessoas com essa linguagem parecem ter a habilidade excepcional de sentir a chuva financeira antes de sua chegada. Elas têm "palpites" ou intuições que fornecem pistas do que vem a seguir. E, embora não possamos afirmar que pessoas assim tenham a habilidade de prever os mercados ou possuam uma bola de cristal que lhes diz precisamente o que está por vir, tenho presenciado essa característica naqueles com a linguagem José o suficiente para perceber que, com muita frequência, eles parecem estar certos sobre o que está por vir em relação a suas finanças.

Chad tinha experimentado essa característica incomum. Ele estava sentado em sua cadeira, na sala de reuniões da empresa, encarando as tabelas financeiras nas paredes, enquanto o presidente da organização sem fins lucrativos para a qual ele trabalhava estava de pé à cabeceira da mesa. O presidente tentava convencer a diretoria de que a atual tendência de aumento de doações justificaria o acréscimo de funcionários para apoiar projetos especiais que tinham sido adiados por causa da Grande Recessão de 2008, que durou mais do que todos esperavam. Agora, as coisas tinham mudado, havendo um aumento das finanças. O presidente insistia: "Deus está conosco nisto; só precisamos ter fé para dar o primeiro passo e arriscar. Sei que passamos por alguns obstáculos na estrada, financeiramente, nos últimos anos, mas estamos em melhor condição agora. Eu sei que esta é a coisa certa a fazer".

Chad não conseguia mais se conter: "Tenho a plena consciência de que sou a pessoa mais jovem aqui na sala, e eu me sinto honrado em participar da liderança desta organização. Porém, apesar de não conseguir explicar como eu sei o que sei, tenho plena certeza disto: as coisas melhorarão por um tempo, mas, depois, ficarão piores do que antes. Não contratem novos funcionários nem assumam novas dívidas para bancar esses projetos. Precisaremos dos recursos adicionais que estamos recebendo agora para os momentos difíceis que virão".

Você poderia pensar que alguém tinha acabado de pisar na mascote do time. Chad podia sentir o olhar fuzilante das várias pessoas ao redor da mesa, que desejavam ir adiante com os projetos, dentre elas, ninguém menos que o presidente. Ele sabia o que tinha feito e que haveria consequências. Chad não foi convidado a voltar na reunião seguinte da diretoria, nem na posterior. Ele permaneceu no emprego, mas perdeu muito do seu poder político. A parte difícil de engolir foi o fato de estar absolutamente certo.

Pelos dezesseis meses que se seguiram, as doações beneficentes aumentaram, então o presidente contratou mais funcionários e bancou os seus projetos, e as novas contratações eventualmente se tornaram a propaganda do sucesso. Alguns desses trabalhadores foram convidados para muitas reuniões das quais Chad antes participava, reuniões para as quais ele tinha sido convidado por causa da sua perspicácia e da sua capacidade administrativa de estruturar uma ideia.

Alguns anos depois, contudo, os ventos da mudança financeira varreram a organização como uma praga de gafanhotos. As doações beneficentes despencaram. Muitos doadores importantes deixaram a organização e investiram seu tempo e seus recursos em outras causas. Ninguém conseguia entender o motivo. A economia parecia estar melhorando; o presidente continuou da mesma forma e novos programas foram iniciados. No entanto, nada poderia evitar a depressão financeira que, por fim, extinguiu boa parte desses novos programas.

As condições financeiras voltaram a ser parecidas com aquelas vividas pela organização em 2008. Cortaram os orçamentos, os benefícios e o pessoal. Depois, passaram pelos mesmos cortes várias e várias vezes. Por fim, Chad foi demitido da organização. Ele saiu entristecido — o único na mesa que sabia que isso aconteceria, o único na mesa que estava absolutamente certo e completamente injustiçado. Chad sentiu-se como José, lançado em um poço pelos amigos de confiança. Talvez, como José, ele tenha revelado a sua descoberta cedo demais; talvez os outros devessem ter dado mais atenção a ele.

Chad não estava simplesmente especulando enquanto se sentava à mesa de reuniões pela última vez, alertando os diretores e o presidente para que tivessem cuidado durante o período de abundância. Ele posteriormente revelou que via tudo aquilo como um momento semelhante ao de José, em que anos de fartura foram seguidos por anos de fome, em um sentido financeiro. Segundo Chad, a organização sem fins lucrativos deveria economizar, não aumentar os gastos durante aquele período. Como ele sabia isso? Será que tinha presenciado ciclos econômicos como aquele antes? Será que é porque havia notado que os doadores não estavam tão comprometidos como o presidente acreditava? Não importa como, ele sabia que a mudança despontava no horizonte. A organização ainda tenta recuperar-se daqueles anos difíceis para os quais não estava preparada financeiramente.

LADO OBSCURO: manipulação

O lado obscuro de pessoas com a linguagem José — a manipulação — é sutil, mas poderoso de um jeito destrutivo se não for controlado. A manipulação dos recursos alavanca a posição, a influência e a riqueza financeira para que se consiga o desejado e para que se valorizem os resultados em detrimento do bem-estar financeiro de outras pessoas. Vemos esse lado obscuro transparecer em meio ao brilho do sucesso de José, e, se não tivesse sido controlado, poderia ter sido bem mais destrutivo do que foi.

Recursos e contatos como fontes de poder

Era parte do plano de José que o pai e os irmãos viessem morar com ele nas terras do Egito, portanto ele manipulou uma situação — duas vezes — para conseguir o que queria, usando a falsidade e os seus recursos como os principais meios de atingir o seu propósito. Na primeira ocasião, José encheu as sacolas dos seus irmãos de dinheiro — o dinheiro que eles tinham gasto para comprar cereais no Egito. Esse cenário fez parecer que o dinheiro que eles gastaram nos cereais havia retornado a sua posse. Os homens ficaram profundamente chocados quando descobriram que as suas sacolas estavam cheias de dinheiro; quando voltaram para ver José em seguida, temeram por suas vidas. Naquele momento, José disse que eles estavam experimentando a provisão de Deus e que não deveriam ter medo (Gênesis 42:25; 43:23).

Numa segunda ocasião, José colocou a sua taça de prata na sacola de viagem de Benjamim, no que parecia ser um plano para trazê-lo a estar com ele enquanto os irmãos voltavam para o seu pai, talvez achando que o pai viesse buscar Benjamim, seu filho amado (Gênesis 44:1-2). Embora os objetivos fundamentais de José, ao manipular as situações com os recursos, parecessem benéficos para a vida dos irmãos, ele causou muito mal-estar entre os membros de sua família.

Morgan luta com esse aspecto de ter a linguagem José. Ela é uma administradora talentosa que foi rapidamente promovida para o primeiro escalão da empresa. Agora que participa das reuniões executivas, recebeu um acesso ainda maior a relacionamentos de grande importância e influência na organização. Quando Morgan interage com as pessoas na empresa, especialmente com aquelas que não ocupam altas posições, ela cita inúmeros nomes para conseguir o que quer, aproveitando-se de seus relacionamentos para manipular os outros.

Com frequência, diz aos colegas novatos que falará bem deles da próxima vez que estiver com algum executivo do alto escalão. Ela regularmente tece comentários rápidos, como: "Ontem à noite, quando estava no jogo com o vice-presidente da empresa...", para que os outros saibam que ela e o vice-presidente são, agora, grandes amigos. É uma carta valiosa a ser jogada quando Morgan tiver de agilizar alguma tarefa, e é preciso algum colega para providenciar o que ela deseja.

Sempre mencionando nomes de pessoas importantes, ela brinca com o poder, usando os seus contatos para manipular os outros e conseguir o que deseja, que é, basicamente, continuar subindo de cargo na empresa e ganhar mais dinheiro. Quando pessoas com a linguagem José deixam o seu lado obscuro sobressair dessa maneira, usarão os recursos à sua disposição — sejam humanos, sejam financeiros — para o próprio benefício, manipulando as situações em seu favor.

Dar-se à ostentação

Vangloriar-se é uma tentativa sutil de manipular as opiniões alheias a respeito de você. Apesar de a sua motivação parecer inocente o bastante, José obteve uma percepção sobre o seu futuro por meio de dois sonhos consecutivos, que já mencionei; depois, vangloriou-se do que viu.[12]

> José teve um sonho e, quando o contou a seus irmãos, eles passaram a odiá-lo ainda mais. "Ouçam o sonho que tive",

disse-lhes. "Estávamos amarrando os feixes de trigo no campo, quando o meu feixe se levantou e ficou em pé, e os seus feixes se ajuntaram ao redor do meu e se curvaram diante dele" [...] E o odiaram ainda mais, por causa do sonho e do que tinha dito" (Gênesis 37:5-8).

Poderíamos "dar um desconto" ao jovem José nesse aspecto e cobrir a sua ostentação com o relato bem-intencionado dos sonhos. No entanto, independentemente de seus motivos, na realidade ninguém quer saber como será favorecido por eles. Bem-intencionado ou não, antes de José passar por muitos fracassos e sofrimentos, ele se vangloriou de seus sonhos para o futuro, e isso teve um preço.

Essa tendência característica de gabar-se é o que faz de pessoas com a linguagem José tão boas conectoras. Elas têm uma história para tudo, um modo de trazer sentido à vida dos outros e à sua própria. Ocasionalmente, exageram a verdade para que a história se conecte com alguém de um modo poderoso. Também se orgulham frequentemente de suas conquistas financeiras e vão divulgá-las das formas mais sutis. Dirão tudo o que for necessário para impressionar, para criar o relacionamento de que precisam. Alguém com a linguagem José é mestre em distorcer levemente os fatos, para, assim, dominar a arte da falsa humildade.

Crescimento na saúde financeira
Reconheça o seu desejo de conectar-se
Você consome bastante energia para conectar-se ao mundo ao seu redor, seja para construir pontes que o apoiarão financeiramente quando precisar, seja para abrir portas de oportunidade para outras pessoas. Nem sempre tem as motivações corretas, podendo pensar que seria mais fácil recuar e deixar o mundo descobrir as coisas sozinho quando você se esgota. Ficaríamos bem mais pobres se você fizesse isso. Sua habilidade de relacionar-se

— tanto com outras pessoas como com a sua própria mentalidade sistêmica — ajuda a trazer sentido ao mundo ao nosso redor. Ficará farto e cansado por causa da energia necessária para criar vínculos, mas precisa aceitar o fato de que Deus o criou desse modo e descobrir como se renovar internamente, enquanto permanece centrado nos outros como um conector. Você se encontra nos lugares em que está e com os relacionamentos atuais para manter as coisas unidas e impulsioná-las. Com certeza, isso me faz lembrar de uma característica do Espírito Santo — geralmente discreto, mas presente para promover o bem.

Tende a ver os assuntos financeiros, especialmente as oportunidades financeiras, de forma bem clara. Conhece instintivamente os passos necessários para ir de um ponto a outro, mesmo que tenha de contar com o conselho de especialistas para esclarecê-los em sua mente. Outros talvez não o queiram acompanhar nesse processo. Você terá de trabalhar nas esferas de relacionamento disponíveis, mas seja cauteloso para não ser facilmente dissuadido de aplicar a sabedoria que desenvolveu ao longo dos anos. Um bom plano leva ao sucesso, e você tem talento para criar planos e processos claros e viáveis. Assuma esse aspecto de sua concepção especial.

Fale a verdade

Não há razão para exagerar a verdade quando se trata de suas finanças. O Senhor abomina a balança enganosa, mas se agrada dos pesos exatos (Provérbios 11:1). Deixe que as questões financeiras sejam como são; não as manipule. Em outras palavras, se for falar sobre dinheiro, seja uma conquista financeira, seja uma oportunidade que teve, seja um sonho que você almeja, fale a verdade como ela é. Resista ao desejo de manipular a opinião dos outros sobre você só para ter acesso a elas ou para obter o seu favor. No final das contas, as pessoas o respeitarão mais por quem você é do que por sua quantia de dinheiro ou por suas pretensões. Nunca experimentará a saúde financeira até que reconheça quem você é e o que tem, desistindo de fingir ser algo que não é para impressionar as pessoas que, provavelmente, perceberão a sua prepotência de qualquer modo.

Relacione-se com cautela

Sua conectividade dá a você espaço; ela frequentemente abre portas para que você participe de conversas importantes. No entanto, se não estiver ciente dessa característica, essa abertura para oportunidades realmente pode sobrecarregá-lo. Então, você precisa orar e ser seletivo em seus envolvimentos, especialmente em relação ao seu dinheiro. Uma oportunidade certa na hora errada é uma oportunidade errada; você sabe que isso é verdade, portanto, veja se está totalmente disponível e comprometido quando entrar em um novo projeto potencial ou em um papel de liderança. Nunca faltarão oportunidades, por isso permaneça exigente, em oração, sobre o local e o momento nos quais sente que Deus gostaria que você implantasse os seus recursos. Isso é especialmente importante porque, embora o seu desejo de cuidar dos outros seja uma bênção para a humanidade, se não for gerenciado adequadamente, pode levá-lo ao colapso financeiro. Dedique às oportunidades beneficentes a mesma percepção que tem com o restante de suas finanças. Você se sentirá mais confortável quando se inteirar dos fatos e, assim, tomará sábias decisões filantrópicas que trarão alegria quando a sua capacidade de pensar sistematicamente for posta à mesa.

Confie, mas busque confirmar os seus instintos

Você nem sempre pode explicar por que sabe o que sabe quando se trata de dinheiro, mas é uma forma de conhecimento real e que demonstra ser um grande recurso no decorrer dos anos. A ciência costuma rotular esse meio de saber de *conhecimento tácito*. Reconheça essa percepção, mas não confie demasiadamente nela somente. Lembre-se de que existe sabedoria em uma multiplicidade de conselheiros, e você pode recorrer a relacionamentos confiáveis para que o aconselhem ao longo do caminho (Provérbios 15:22). As pessoas mais sábias financeiramente não são aquelas que apenas seguem os seus instintos espontâneos, mas aquelas que, em vez disso, confrontam as suas descobertas com a sabedoria coletiva daqueles que vieram antes delas, pessoas especializadas no assunto. Você fará bem em tecer um plano financeiro claro com um consultor que entende os seus instintos, instintos estes que podem levá-lo a tomar decisões financeiras radicais com base no que, aos outros, pode parecer um capricho. Ter esse sistema de verificação e equilíbrio na forma de sábia consultoria financeira pode poupá-lo de um erro financeiro sem intenção.

Aprenda a não ser tão sensível

A conectividade é geralmente percebida como uma realidade exterior — você está conectado com o mundo ao seu redor, consegue conectar uma coisa a outra, e assim por diante. Sempre mergulha de cabeça no que faz, até mesmo de uma forma que às vezes o deixa vulnerável. Combine essa tendência com o fato de que os conectores são, em geral, carismáticos e encantadores, levando os outros a duvidar de sua sinceridade ou até a sentir inveja, e o resultado é que você se sente particularmente suscetível ao ridículo e ao julgamento dos demais.

Você está em toda parte, o tempo todo. Recorde as contínuas mudanças e transições na vida de José e pense em como a sua vida se espelha na dele nesse sentido. A vida de José era ativa e orientada externamente, com sua total exposição às vidas daqueles ao seu redor. Assim como os irmãos de José, nem todo mundo pensa em você afetuosamente. Algumas pessoas duvidam de suas propostas e de sua motivação, acreditando que você só quer enriquecer e que essa é a razão pela qual você está sempre fazendo contatos. Outros simplesmente têm inveja. Nunca faltarão céticos nem aqueles para falar mal de você. Isso é esperado. Verifique continuamente a sua motivação, mas esteja preparado para os curiosos que duvidam da pureza dos seus desejos.

Lembre-se de que os irmãos de José o venderam como escravo (Gênesis 37:28). Se José tivesse formado uma opinião sobre o seu valor com base na experiência no fundo do poço, ele o teria estimado inadequadamente segundo a opinião de outra pessoa a respeito dele e do seu sonho. O preço sobre a sua cabeça era de 20 moedas de prata. Mais adiante, ele supervisionou toda a riqueza do mundo conhecido, fazendo do preço pelo qual ele foi vendido míseros trocados em comparação com a riqueza posteriormente à sua disposição. Quando as pessoas buscam destruir os seus sonhos e, até mesmo, vender você, geralmente agem movidas pelas próprias inseguranças, não pelo valor que você tem. Agarre-se à sua consciência, à sua confiança em Deus e ao seu sonho. Somente tenha cuidado em como, quando e com quem compartilhá-lo.

Cultive a conectividade interior

Você se conecta bem com o mundo ao seu redor, mas também precisa manter-se bem conectado com o estado de sua vida interior. Henri Nouwen, autor que citamos anteriormente, observa que, se uma pessoa mantém-se centrada, como o eixo de uma roda, ela pode tocar todos os raios de uma vez. Quando ela se encontra longe demais dos raios e dos aros da vida, perde o contato com o centro, e isso não apenas é menos eficiente, fazendo com que toque somente um aro por vez, como a faz perder a conectividade da própria alma e a sua conectividade com o Deus que ela desesperadamente ama e de quem tanto precisa.[13] Separe tempo para si mesmo e para Deus. Desse lugar de centralidade, você se conectará com o mundo ao redor de maneiras que levarão a plenitude de Deus a ele. Você estará menos propenso a gabar-se do seu sucesso financeiro e dos seus sonhos porque adquire força e confiança por meio do seu relacionamento com Deus, não por meio da sua riqueza.

Proteja os seus sonhos: compartilhe-os seletivamente

Os meios-irmãos de José não queriam saber de ouvi-lo gabar-se de como o seu sonho previa que eles se curvariam diante dele em servidão. Suas reações subsequentes foram bem dramáticas. Arrancaram do corpo de José a túnica colorida que seu pai havia dado, rasgaram-na e mergulharam no sangue de um animal, para que o pai pudesse deduzir que ele estava morto, então lançaram José em um poço. Logo depois, eles o venderam a mercadores de escravos.

Pessoas com a linguagem José devem ter cuidado em quando, em como e com quem compartilhar seus sonhos e suas conquistas, especialmente as financeiras. Nada provoca tanta inveja quanto o sucesso financeiro. Diminuir o ritmo, elaborar um plano e escolher o momento certo para partilhar uma visão podem ser atitudes muito úteis para que os outros celebrem com você o sonho ou o objetivo, em vez de serem invejosos ou de se sentirem ameaçados.

Também é importante, para aqueles que convivem com pessoas que têm a linguagem José, ouvir com bondade — isto é, acreditar no melhor. A vanglória talvez esteja no ouvido de quem escuta, e, mesmo que pareça que alguém com a linguagem José esteja a vangloriar-se, pode estar simplesmente animado e expressando seus sonhos e desejos; pessoas assim podem não ter condições de discernir o modo como são percebidas, e a sua motivação talvez seja inocente.

De disperso a centrado: uma pessoa com a linguagem José aceita o seu propósito

Norman estava claramente esgotado. O nó da sua gravata estava um pouco torto para o lado e o seu cabelo, um pouco mais despenteado do que eu costumava ver. Levando a caneca em direção à boca, ele ergueu os olhos e disse: "Eu vivia dizendo sim para todo mundo. Sim, eu me sentarei à sua mesa. Sim, eu farei parte da sua reunião de planejamento. Sim, eu vou contribuir para a sua instituição de caridade". Norman apontou para o seu smartphone. "Este negócio aqui está sempre tocando com mensagens e ligações. Eu não consigo dar conta. Preciso de um secretário só para gerenciar as minhas atividades extracurriculares."

Então, ele falou de coração: "Já disse sim para tanta gente, para tantas oportunidades financeiras, a fim de doar e de patrocinar algo ou alguém, que não consigo mais dizer com honestidade o que quero — estou vivendo os sonhos de outros para as suas organizações sem fins lucrativos, para o seu programa, para o seu grupo ou sei lá mais o quê. Quero desligar-me e fugir disso tudo".

Acho que esgotamos duas garrafas de café enquanto estávamos na mesa da lanchonete naquela manhã. Mesmo sem poder dizer que resolvemos todos os problemas de Norman, certamente chegamos a uma questão principal: ao buscar conectar-se, pessoas com a linguagem José tornam-se tão envolvidas no que acontece ao seu redor que se esquecem de dar atenção à própria vida interior. Perdem o contato com a sua alma; abandonam o desejo por oportunidades e acabam ficando desgastadas, frustradas, precisando de um recomeço.

Norman decidiu recomeçar. Ele se recusou a assumir outros compromissos e passou todo o ano seguinte se desvinculando dos contatos que esgotavam as suas energias e que não se alinhavam com o que mais gostava de fazer.

Pela primeira vez em anos, Norman conseguiu responder à pergunta: "O que você quer?" Quando ele chegou à resposta da pergunta, a sua vida mudou literalmente. Ele deu espaço ao que era importante de verdade para ele e para a sua família e investiu seu tempo e dinheiro nisso. Agora, antes de assumir algum compromisso, ele não se pergunta mais: "Isso é bom para a minha carreira?", mas, em vez disso, "Isso me dá prazer?" Mesmo quando encontra uma oportunidade para investir seu tempo e seus recursos financeiros em algo que lhe dê prazer, ele conversa com a esposa e com um amigo próximo que é bem sincero, preservando-se do risco de envolver-se além da conta.

Uma bênção
para pessoas com a linguagem **José**

> Vemos Deus em você quando o observamos associar a vida diária às coisas de Deus. A sua rede de relacionamentos faz lembrar que todos estamos interligados, como um corpo e suas muitas partes, e que, ao contarmos uns com os outros e percebermos o valor de cada membro do corpo, teremos um vislumbre do potencial humano. Você eleva os nossos olhos àquilo que é possível quando compartilha os seus sonhos. Leva-nos a sonhar ao lado de um Deus que sempre vê aquilo que pode ser em meio ao que é, o Deus que continua a inspirar confiança nos períodos mais desafiadores. Obrigado por passar a sua vida criando contatos aos quais geralmente recorremos quando temos alguma necessidade importante. Você nos faz lembrar do Deus que está conectado tão intimamente à nossa vida, aquele que atrai todas as coisas para o bem.

Passagens bíblicas
para a alma **conectada**

Leia as passagens bíblicas a seguir, cada uma acompanhada de palavras para personalizar este exercício. Veja a passagem com a qual você mais se identifica. Então, leia-a calmamente em voz alta várias vezes, escreva-a e medite sobre ela até que possa memorizá-la. Pelos próximos dias, certifique-se de saber que você transmite o amor de Deus ao mundo de maneira significativa e que as Escrituras confirmam o seu modo de ser no mundo com relação aos recursos.

Quanto a gloriar-se, "glorie-se no Senhor" (1Coríntios 1:31), porque é Deus quem abre as portas da oportunidade.

Jesus ensinou os discípulos a ter discernimento e a orar pela conectividade das coisas que se veem àquelas que não se veem. "Pai nosso, que estás nos céus! Santificado seja o teu nome. Venha o teu Reino; seja feita a tua vontade, assim na terra como no céu" (Mateus 6:9-10).

Deus me chamou a permanecer fiel na minha gestão, porque: "Quem é fiel no pouco, também é fiel no muito, e quem é desonesto no pouco, também é desonesto no muito" (Lucas 16:10).

Perguntas para
reflexão para pessoas com a linguagem José

- Como você usa o dinheiro para criar contatos? Como isso o faz sentir?
- Quem mais em sua vida tem a linguagem José?
- Das principais características ou histórias de José ou de pessoas com a linguagem José, com qual você mais se identificou e por quê? Como você se vê à luz dessa característica ou história?
- Você tem algum conflito financeiro com alguém? Se tiver, como a sua linguagem financeira José pode ter contribuição nesse conflito?
- O que você planeja fazer de diferente com o seu dinheiro agora que entende a sua linguagem financeira José?
- Qual é a maior verdade que você aprendeu sobre a linguagem financeira José?

CAPÍTULO SEIS
....
Linguagem nº 5

Moisés: Resistência

Vá, pois, agora; eu o envio ao faraó para tirar do Egito o meu povo, os israelitas.

ÊXODO 3:10

A fuga do Egito quase matou Moisés e os israelitas. Extinguiu o exército do faraó, que os perseguiu pelo dividido mar Vermelho antes de ser encoberto pelas águas quando o mar se fechou.

Miriã, irmã de Moisés e profetisa israelita, apanhou um tamborim e liderou as mulheres em um refrão de louvor: "Cantem ao Senhor, pois triunfou gloriosamente. Lançou ao mar o cavalo e o seu cavaleiro" (Êxodo 15:21). O coral logo se desfez; as batidas rítmicas e festivas dos tamborins silenciaram. A gradual monotonia do livramento, da saída do Egito rumo à Terra Prometida, começou. Os israelitas tinham acabado de ser libertos da escravidão, mas, naquele instante, enfrentavam um inimigo ainda maior — eles mesmos.

Queixavam-se a Moisés e ao seu irmão, Arão.

> Quem dera a mão do Senhor nos tivesse matado no Egito! Lá nos sentávamos ao redor das panelas de carne e comíamos pão à vontade, mas vocês nos trouxeram a este deserto para fazer morrer de fome toda esta multidão! (Êxodo 16:3).

Moisés percebeu o desafio de liderança que o aguardava: a falta de recursos poderia levar à deserção. Se os israelitas sobrevivessem à jornada e se tornassem um grande povo, ou mesmo se continuassem a ser um povo, a situação da escassez de recursos precisava ser enfrentada.

Ouvindo a reclamação do povo, o Senhor falou com Moisés e deu a ele um plano que levaria os israelitas à perseverança, mas que também avaliaria a fé deles e os ensinaria a confiar no Senhor:

> Eu lhes farei chover pão do céu. O povo sairá e recolherá diariamente a porção necessária para aquele dia [...] No sexto dia trarão para ser preparado o dobro do que recolhem nos outros dias (Êxodo 16:4-5).

A cada manhã, quando os israelitas acordavam, sua reação ao recurso colocado diante deles, sobre o chão, indicou a atenção deles ao comando de Deus, a obediência à voz de uma nova autoridade em suas vidas. Como os gritos dos oficiais do faraó, que berravam ordens para eles, afogaram-se no mar do próprio esquecimento, surgiu um novo tipo de relacionamento com os recursos — sustentado pelos ritmos da graça de Deus, dia após dia. A longa caminhada da confiança na provisão de Deus teve início.

Com o desenrolar da história, esse tipo de interação entre o Senhor e o povo se repete, com Moisés servindo de mediador. Moisés recebeu instruções de como o povo deveria interagir com a comida para que pudesse sobreviver: implementar um plano sistemático que os levasse à perseverança; receber a Torá no Sinai, para trazer estrutura e ordem à vida das pessoas, especialmente aos seus recursos; e assim por diante. Havia leis para todo recurso imaginável em suas vidas: oferte isto ao Senhor por tal motivo, ofereça aquilo por outro motivo. Se o seu touro fere o touro do seu vizinho, aqui estão as compensações necessárias. Toda situação era enunciada relativamente ao modo de lidar com os recursos, e Moisés, com Arão, mediava essas trocas.

Moisés foi o responsável por executar as ordens e os processos determinados por Deus, a fim de que o povo pudesse resistir. *Resistência* é a palavra-chave na vida de Moisés — para sobreviver quatro décadas no deserto com o que viemos a enxergar como um grupo de seguidores muitas vezes insensíveis e teimosos, ele precisaria de resistência, que somente seria possível com recursos estruturados que garantissem o funcionamento adequado da economia de Israel, de modo que todos permanecessem unidos e continuassem a jornada rumo ao objetivo coletivo: a terra prometida. Moisés precisava ter uma perspectiva geral para que eles sobrevivessem. Ele carecia de mais do que um arranjo de curto prazo; carecia de um plano de longo prazo, o qual Deus providenciou.

Moisés representa a resistência de um Deus que não desiste do povo, que permanece e anda com eles em meio às circunstâncias mais difíceis. A longa caminhada da resistência somente seria possível se Moisés ensinasse o povo a organizar-se e a relacionar-se com os recursos de tal maneira que o seu relacionamento com Deus, e de um com outro, permanecesse intacto. Assim como Deus perseverou com o povo, Moisés também cresceu em sua capacidade de resistir, revelando a imagem de um Deus que não os deixaria sós.

CRENÇA BÁSICA: o dinheiro deve ser organizado com cuidado

Moisés representa a resistência financeira, o que exige hábitos financeiros bem organizados. Percebemos isso em sua vida pela maneira como implementou sistemas detalhados, abrangentes e de estrutura complexa relativos aos recursos. A resistência financeira não acontece com pensamentos e práticas casuais e incoerentes. Pessoas com a linguagem Moisés são muito organizadas com o dinheiro e gostam bastante de adotar planos financeiros abrangentes, pensados em curto e em longo prazo. Encontram um sistema que funciona e se mantêm nele. Trabalham dentro de estruturas. Pessoas assim são calmas, coerentes e determinadas.

Elas acreditam que deve haver um lugar para cada centavo, e que cada centavo deve estar em seu lugar. Analisarão se este é o caso, e com muita frequência. Fazer isso traz a pessoas com a linguagem Moisés a certeza não somente de que estão fazendo a parte delas para cuidar das necessidades da maneira mais responsável possível, mas também de que fizeram tudo ao alcance a fim de preparar-se para situações financeiras que possam surgir.

Michelle exprime as crenças principais de uma pessoa com a linguagem Moisés. Seu marido, Matt, descreveu o relacionamento dos dois para mim e para a minha esposa: "Nós nos conhecemos no Ensino Médio, e ela era a única pessoa que eu havia encontrado com objetivos de vida 20 anos à frente. Já administrava bem o seu dinheiro naquela época, então, quando finalmente nos casamos, as finanças da família estavam firmemente estabelecidas desde o primeiro dia. Michelle me ensinou a importância de ter um estilo de vida bem organizado, o que era diferente de como eu pensava em dinheiro. Ela era tão estruturada que, mesmo quando bem jovem, tinha um orçamento e um plano financeiro. Eu tinha um sistema que funcionava para mim, mas não era nada comparado à organização da Michelle. Às vezes, os meus métodos a enlouqueciam".

O que Michelle disse em seguida revelou os mecanismos interiores das crenças sobre dinheiro de uma pessoa com a linguagem Moisés.

"O dinheiro, e o modo como o usamos, é espiritual", ela começou. "O modo como eu me relaciono com o dinheiro afeta o meu relacionamento com o Senhor. Estou envolvida em pensamentos sobre Deus e sobre o dinheiro o tempo todo. Por um lado, quando eu penso em Deus, geralmente começo a pensar nos recursos financeiros, no modo de administrá-los e de organizá-los para a glória de Deus — eu amo a estrutura financeira! Por outro lado, quando eu penso sobre o meu dinheiro, meus pensamentos voltam-se para o Senhor e para o modo como o dinheiro deve ser usado a fim de agradá-lo e de ter um significado eterno."

As declarações de Matt e Michelle revelam como ela era organizada com as finanças e como queria garantir que o seu modo de lidar com dinheiro conservasse em mente a visão de longo prazo, e mesmo a eterna. Ela deseja e encontra vida na estrutura financeira, o que gera resistência financeira.

Enquanto conversávamos sobre a relação instintiva de Michelle com o dinheiro, Matt entendeu por que ela pensa, sente e age como faz financeiramente. Ele percebeu que a necessidade de organização financeira de Michelle ia além da exigência em relação ao dinheiro, mas vinha de um lugar profundo de sua alma.

Conheço Matt e Michelle há quase uma década, e ela não é o tipo de pessoa que idolatra dinheiro, encontrando segurança nas finanças. Mas, para ela, Deus e o dinheiro estão ligados de forma tão íntima, que a sua relação com um deles impacta a relação com o outro. Ela não tem obsessão por dinheiro, como alguém pode pensar. Em vez disso, encontra segurança, em primeiro lugar, em Deus, e isso se verifica em suas finanças por meio das estruturas e da ordem criadas por ela. Michelle encontra segurança nos limites e tem experiências com Deus enquanto reflete sobre dinheiro e lida com ele dentro desses limites.

PRINCIPAIS CARACTERÍSTICAS
de pessoas com a linguagem Moisés

Prezam a ordem

Moisés era extremamente organizado com os seus recursos. Os livros de Êxodo e Levítico estão repletos de exemplos sobre os planos que Moisés recebeu do Senhor e teve de executar, planos que exigiam uma administração de recursos bem detalhada. Pessoas com a linguagem Moisés amam a ordem, especialmente nas finanças. Veem-na como o segredo da longevidade e da vitalidade financeira de longo prazo. E, como refletem sobre dinheiro o tempo todo, seu estilo de vida bem organizado financeiramente deixa espaço para que não se preocupem demais com as finanças.

Kent gosta da ordem financeira como poucos. Ele e sua esposa, Bonnie, vivem em conflito quando conversam sobre dinheiro. Kent, um consultor de gestão de patrimônios, anda pelo caminho de Moisés, enquanto Bonnie identifica-se fortemente com a linguagem Jacó, que valoriza a beleza. Certa noite, minha esposa e eu recebemos um grupo de amigos, e todos começamos a conversar sobre como monitoramos o nosso dinheiro. Kent foi o primeiro a falar sobre como ele e Bonnie administravam as finanças.

"Todas as manhãs eu me levanto, pego o meu *laptop*, preparo uma garrafa de café e dou uma olhada nas minhas despesas do dia anterior, comparando-as com o nosso orçamento — todos os dias. Eu me certifico de que cada centavo esteja em seu lugar. Na parte de baixo da planilha existe um número *líquido* que me mostra se estamos acima ou abaixo do nosso objetivo orçamentário, se ficamos no plano. Gosto muito de verificar a minha planilha de orçamento, pois é como se eu estivesse lendo as notícias." Bonnie não conseguiu mais se segurar.

"Pois é, e ele me coloca a par das notícias toda manhã quando eu acordo — recebo um relatório completo. Quer dizer, sou grata por isso, sabe, mas eu nem acordei direito! Uma boa regra geral é tomar café antes de falar sobre o orçamento!"

Nunca conheci uma pessoa tão organizada como Kent. Isto é, até que a nossa amiga Cassie, outra pessoa com a linguagem Moisés, entrasse na conversa.

"Está bem, eu sou exatamente dessa maneira. Verifico a minha planilha de orçamento toda manhã. Odeio admitir isso, mas, enquanto eles estavam falando, dei uma olhada nela em meu telefone." Todos na sala estavam admirados em ver como pessoas com a linguagem Moisés podem ser bem organizadas. Quando lhes perguntaram se isso era preocupação com dinheiro, ambos responderam: "Não, eu só quero me assegurar de que estamos seguindo o plano. Eu crio um plano, assim, não tenho de me preocupar com dinheiro. Meu plano faz isso por mim, de maneira que eu não tenha com o que me preocupar."

Tenham as pessoas com a linguagem Moisés milhões em poupança, tenham um salário apertado, vão conduzir um navio financeiro bem restrito — cada centavo reservado e gasto com um propósito e em seu lugar. Claro, elas terão a liberdade de esbanjar de vez em quando, mas, em geral, traçam um plano e seguem à risca. Essa sensação de ordem possibilita a pessoas assim um estilo financeiro livre quando elas necessitam; não têm medo de ultrapassar os limites orçamentários porque sabem precisamente como reequilibrá-los e aprumar o navio.

Adotam ritmos financeiros

Pessoas com a linguagem Moisés gostam muito da ordem financeira, o que as leva a ritmos ou a ciclos financeiros. Suas tendências de organização asseguram que uma quantia em dinheiro esteja em seu lugar, e o desejo de ordem sempre as faz voltar para avaliar o andamento do plano organizado. Esses ritmos estão gravados em seu comportamento; são uma parte reflexiva do seu dia, mês ou ano.

Como observamos anteriormente, desde o início da jornada, os israelitas deixaram claro para Moisés o que achavam da nova situação — eles a odiavam e estavam prontos para retornar à escravidão. No entanto, o plano de Deus para atrair de volta o seu coração era simples — fazer chover maná do céu e dizer-lhes o quanto poderiam apanhar e comer a cada dia. Deus estabeleceu um ritmo com esses recursos; Moisés mediou o plano. Os séculos de pregação e de ensino dessa história podem tornar os leitores imunes ao espetáculo da comida caindo do céu, a cada dia, com uma quantia estabelecida a ser colhida. A palavra *maná* literalmente significa: "O que é isso?" Bem rapidamente, Israel descobriu o que era — uma oportunidade de confiar em Deus. O som do maná caindo no chão era o metrônomo, a batida ou o ritmo que sincronizou o coração dos israelitas com o coração de Deus — se eles seguissem o ritmo.

Moisés e o povo só conseguiriam resistir à peregrinação pelo deserto se entrassem no ritmo do plano de Deus, por incrível que pareça. Os recursos, como a vida do povo de Israel, eram sustentados pela Palavra de Deus. A matemática de Deus: reúna o quanto puder por cinco dias na semana, o dobro disso em um dia e nada no dia restante.

Por que isso era tão complexo? Ou era simples? Talvez fosse as duas coisas, mas, para um coração que confia, era bastante elementar.

Pessoas com a linguagem Moisés adotam ritmos financeiros parecidos em suas vidas. Apreciam passar pelas mesmas rotinas várias vezes se isso tiver algum significado e ajudar a alcançar os objetivos a longo prazo. Esses ritmos permitem manter a boa organização financeira.

Meu amigo Chris, um pastor local, é um bom exemplo disso. A vida de Chris segue ritmos previsíveis. Ele fixa metas de 30, 60 e 90 dias. Estabelece um tempo em certos dias da semana para motivos específicos. Quando eu o questionei sobre as suas rotinas financeiras, ele não hesitou em revelar como organizou os seus passos financeiros.

"Sinceramente, minha esposa e eu somos privilegiados em nossa vida financeira porque não precisamos nos preocupar com dinheiro. Ainda assim, no primeiro dia de cada mês, transfiro dinheiro para uma conta específica. Ela saca uma certa quantia para comprar comida, outra quantia para a gasolina, fazendo isso também para todas as outras despesas previsíveis. Eu me presenteio com uma quantia específica a cada mês. Depois, nas noites de domingo, revemos as nossas finanças."

Por favor, observe que esse regimento veio de uma pessoa que *não precisa preocupar-se*, de fato, com a situação financeira. Observando as suas tendências para a linguagem Moisés, eu perguntei o horário em que revisavam as finanças. Ele respondeu: "Entre oito e meia e nove horas da noite, aos domingos". Seu ritmo semanal de verificação das finanças tinha um horário específico. Eu fiz uma tentativa de chegar a esse nível de ordem financeira, mas, sinceramente, é um pouco entediante para mim. O pastor Chris, no entanto, gosta desses ritmos semanais.

Veem a contribuição sistemática como o segredo da saúde financeira

Nas suas melhores condições, os orçamentos bem organizados de pessoas com a linguagem Moisés sempre têm um lugar para o Senhor, para contribuições filantrópicas aos seus locais de culto. Vemos uma lista de leis, em Levítico, relativas a doações para o Senhor (ou para o próximo), a qual Moisés recebeu do Senhor e colocou em prática. Enquanto as ofertas regulares e devocionais podem ter certo grau de importância para pessoas de outras linguagens, elas são especialmente significativas para alguém com a linguagem Moisés. Para elas, essa linha do orçamento controla todas as outras; é a chave mestra financeira que libera a saúde financeira na alma de uma pessoa com a linguagem Moisés.

A experiência de Victoria com sua filha pequena revela claramente essa característica. "Esse cheque é para quê?", perguntou sua filha Valerie. Ela sempre se sentava ao seu lado, observando a mãe preencher os cheques.

"Este aqui é para o Senhor, querida, aquele que eu levo para a igreja toda semana."

Valerie ficou admirada: "Posso entregar ao Senhor desta vez?"

Victoria sorriu e respondeu calmamente: "Claro que pode!"

Valerie ficou olhando para o cheque que sua mãe a deixou segurar por todo o trajeto em direção à igreja. Quando entraram no templo, Victoria levou-a até o que parecia ser uma caixa de correspondências na parede. A menina sorriu de orelha a orelha e abriu a tampa da caixa de ofertas, instalada pela igreja para facilitar a doação daqueles que haviam perdido o momento da oferta no culto. Valerie deu uma olhada dentro da caixa e, de repente, o sorriso sumiu de seu rosto.

"Mamãe, não estou vendo o Senhor aqui!" Ela exclamou tão alto, que chamou a atenção de várias pessoas na igreja.

"O Senhor não está lá", Victoria respondeu. Foi então que ela percebeu o dilema teológico que a sua filha havia reconhecido antes dela. Como exatamente alguém pode explicar para uma criança de cinco anos que colocar o cheque em uma caixa de correspondências, que leva a um cofre do outro lado da parede, é, na verdade, dar algo ao Senhor — que não se encontra, de modo nenhum, como um gênio divino em uma garrafa dentro do cofre? A pequena Valerie fez, precisamente, a pergunta certa: Onde está Deus em tudo isso?

Apesar de ter levado um bom tempo para Victoria ensinar a Valerie que contribuir para um templo local é uma doação para Deus, pessoas com a linguagem Moisés, como Victoria, fazem essa associação claramente — elas veem Deus atuar em sua doação. Tirar delas esse ato rotineiro de adoração criaria uma ansiedade imensa em suas almas. Assim como todos os outros aspectos de suas finanças são organizados — garantindo-lhes que tudo está bem financeiramente —, a contribuição sistemática e filantrópica relembra a confiança em Deus como provedor. Essa confiança é expressa em cada contribuição, que dá continuidade ao ciclo de confiança sagrada em suas vidas. Interromper a contribuição sistemática é interromper a sua percepção de ordem financeira.

Geralmente atuam como orientadoras financeiras

Moisés foi o guia do parto do povo de Deus, desde o ventre da escravidão egípcia, passando pelos tênues confins e pelas contrações do deserto, até a preparação para a entrada no vasto território da terra prometida por Deus. Moisés era o canal de Deus, o porta-voz divino — nunca mais se levantou profeta como ele (Deuteronômio 34:10). Os dias costumavam ser tensos, mas Moisés parece ter genuinamente desejado que o povo chegasse lá, unido, como um só. Moisés fez vários discursos — congreguem-se por um tempo, separem isto para o Senhor, lembrem-se deste dia como dia santo, não se esqueçam de recolher o dobro no sexto dia —, tudo com o propósito de ajudar o povo a resistir ao deserto.

Pessoas com a linguagem Moisés são ótimas orientadoras financeiras; você poderia chamá-las de *coaches* financeiras, levando os outros da atual situação financeira para aquela em que esperam ficar. Mesmo que não tenham qualificações formais, pessoas com essa linguagem geralmente são aquelas a quem os outros recorrem quando têm de colocar as finanças da família em ordem. A vida de uma pessoa com a linguagem Moisés exala organização, e aqueles que precisam organizar-se são atraídos por ela a fim de alimentar-se de sua sabedoria. Em seu melhor, ela receberá bem aqueles que buscam a sabedoria no uso do dinheiro. Ela os ajudará a ampliar a sua visão de saúde financeira e a traçar objetivos para o futuro financeiro desejado, caminhando com eles rumo à terra prometida financeira.

Karina é um exemplo dessa característica. Ela tem um plano claro para as suas finanças e deseja que todos à sua volta também tenham, porque sabe a diferença que isso faz. Karina e o seu marido, José, passaram por dificuldades no início do casamento, indo de pagamento a pagamento, sem um plano financeiro de verdade. Quando os filhos vieram, eles perceberam que precisavam fazer alguma coisa. Aprenderam princípios básicos de administração financeira: criar um orçamento, separar uma quantia para imprevistos, livrar-se das dívidas, e assim por diante.

No decorrer de alguns meses, eles eliminaram todos os gastos supérfluos e realizaram uma venda de garagem. Em vez de fazer viagens de uma semana para locais turísticos, passavam o tempo juntos na própria cidade, criando momentos inesquecíveis para os filhos. Levaram uma vida com restrições por algum tempo, mas viveram assim com um bom propósito e com um plano abrangente, que eles dirão ter sido o segredo do sucesso e por meio do qual realmente encontraram forças.

Depois que os poucos meses de reviravolta financeira terminaram, eles estavam livres de todas as dívidas, com exceção da hipoteca. Então, traçaram metas ainda mais altas, e, dentro de dois anos, acabaram pagando a hipoteca. Bom, seus rápidos resultados com certeza não são comuns em comparação com a média das famílias, mas os princípios que aplicaram às suas finanças são transferíveis — estabeleça uma meta, seja dedicado e continue em frente nos momentos em que é *normal* parar. Eles foram modelos de resistência financeira.

A jornada financeira de Karina e José não terminou quando eles acabaram de pagar a casa. Agora, estão construindo o seu legado, e isso não se limita a, simplesmente, investir no futuro. O casal que conseguiu livrar-se das dívidas quer passar a sua experiência a outros indivíduos e a outros casais e ajudá-los a trilhar o seu próprio caminho rumo à liberdade financeira. A cada semana, Karina, que agora é uma mãe que fica em casa, organiza reuniões em casa para aqueles que buscam reproduzir os seus passos. Ela ensina os princípios que a sua família seguiu. Se você pudesse observar o orçamento de Karina, que ela guarda em seu *notebook* e teria o prazer de mostrar, veria que todas as áreas de suas finanças estão indicadas com muito cuidado, até mesmo o dinheiro para o *lazer*.

Agora que Karina e sua família têm uma base financeira sólida, livres da escravidão financeira, ela quer proporcionar essa liberdade também aos outros. Isso é bem típico de pessoas com a linguagem Moisés, razão pela qual elas podem ser classificadas como *orientadoras financeiras*. Muita vezes, trata-se de pessoas que estão passando ou que passaram por dificuldades financeiras e desejam livrar outros de apertos financeiros também. Acreditam que o feito de Deus em sua jornada financeira não é um acontecimento isolado, mas pode ser experimentado por outros, e que a ordem e a resistência que aplicam aos seus recursos podem ser claramente transferidas. Estão sempre dispostas a ajudar os outros a ter uma experiência com Deus em meio a estruturas e ritmos adequados de planejamento financeiro. Sabem o que é necessário para percorrer a longa estrada da resistência em direção ao resultado que se deseja alcançar.

Não se preocupam muito com dinheiro

Assim como Moisés, que aprendeu a confiar em Deus, o Deus que apareceu várias e várias vezes por meio dos recursos, pessoas com a linguagem Moisés têm convicção no próprio preparo e confiam que Deus proverá quando for necessário.

Por serem grandes planejadoras financeiras e bem organizadas, elas não costumam preocupar-se tanto com dinheiro. Possuem sistemas e estruturas à disposição para protegê-las de armadilhas. Como refletem com frequência e profundamente sobre dinheiro, não têm um medo obsessivo desses assuntos.

Pessoas com a linguagem Moisés são extremamente racionais; indivíduos que não se abalam facilmente e são bem revestidos no que tange a suas emoções e a seus pensamentos financeiros. Elas não deixam que cenários *hipotéticos* as aborreçam. Já descobriram um meio de estruturação das finanças que funciona em seu ambiente atual e sabem que podem estruturá-las de modo diferente no futuro, se necessário.

LADO OBSCURO: impaciência

O lado obscuro de pessoas com a linguagem Moisés talvez seja um dos mais evidentes que encontramos até agora — a impaciência. A impaciência é a arqui-inimiga da resistência, ameaçando usurpar até mesmo os planos mais bem feitos e mais organizados. Quando uma pessoa com a linguagem Moisés está a postos, seu planejamento meticuloso, sua organização e seu impulso para resistir trazem um sentido de estabilidade e de continuidade à sua volta. No entanto, duas características notáveis surgem da impaciência: a dificuldade de tolerar a desorganização e, ao tentar fazer as coisas evoluírem rápido demais, o acúmulo de responsabilidades, que pode levar ao vício do trabalho ou ao esgotamento total.

Podem ser extremamente críticas a respeito de como os outros lidam com dinheiro

Depois de receber instruções detalhadas sobre a Lei que governaria o estilo de vida e a adoração, Moisés, mais adiante na jornada, subiu ao monte Sinai. Deus falou com ele sobre a cura infalível da impaciência — o sábado, um dia separado para o descanso e para a meditação sobre a vida iluminada por Deus. Ironicamente, logo depois de receber essa instrução, que daria um bom ritmo à sua vida, Moisés perdeu a calma e ficou cada vez mais impaciente.

Ao terminar o diálogo no cume do monte, Deus escreveu os mandamentos em duas tábuas de pedra (Êxodo 31:18). Pensando que Moisés tinha ficado tempo demais no monte, o povo insistiu que Arão fizesse um bezerro de ouro, a fim de adorá-lo como a um deus. Arão coletou as joias de todos e esculpiu um ídolo para eles, diante do qual prestaram culto e dançaram.

Deus disse a Moisés que ele precisava descer da montanha porque "o seu povo, que você tirou do Egito, corrompeu-se" (Êxodo 32:7). Deus estava prestes a matá-los, mas Moisés intercedeu a Deus, que se acalmou. Quando Moisés desceu do monte e viu as pessoas envolvidas em uma dança frenética e prestando adoração em volta do bezerro, começou a entender o ponto de vista de Deus e parecia pronto a matá-los com as próprias mãos.

Em vez disso, ele tomou as duas tábuas, escritas pelo dedo de Deus, e lançou-as ao chão, onde se despedaçaram. Então,

Moisés transformou o bezerro de ouro em pó, espargiu sobre a água e fez o povo beber. Enquanto ingeriam os resíduos do bezerro de ouro, seus corpos processavam os materiais. Os recursos que foram usados para formar o bezerro tornaram-se, literalmente, dejetos — uma lição sobre o que acontece com recursos que são mal administrados.

Moisés ficou furioso. Ele odiou ver o povo de Deus desperdiçar os seus recursos na adoração de um falso deus, mas extrapolou em sua ira. Como pessoas com a linguagem Moisés veem uma forte ligação entre o modo de lidar com o dinheiro e o relacionamento com Deus, desperdiçar recursos é pecado — e ponto-final. Quando aqueles que deveriam dar o exemplo fazem as piores coisas possíveis com os seus recursos, pessoas com a linguagem Moisés, na sua pior condição, são rápidas no gatilho e disparam palavras e consequências. No processo, perdem parte da dignidade e do respeito que os outros investiram nelas quando pareciam ter a cabeça no lugar. O ditado se aplica — *Você se aborrece, e o povo não esquece.*

Pessoas com a linguagem Moisés tendem para a crítica, o que não é necessariamente ruim. No entanto, em seu pior aspecto, podem ser críticas demais com relação a assuntos financeiros, como orçamentos organizacionais, práticas de gastos e uso dos recursos em geral. Podem perder a paciência quando os outros não seguem as regras financeiras, quando não agem de acordo com os desejos relativos a essa linguagem. Essa impaciência talvez se baseie em um forte senso crítico, porque, para muitas pessoas assim, as coisas são bem claras, preto no branco. E, quando pessoas ou organizações não têm tanta noção de como lidar com as finanças, isso pode realmente irritar alguém com a linguagem Moisés.

Importam-se demais e trabalham em excesso

Pessoas com a linguagem Moisés podem assumir muitas responsabilidades pelas ações de outros, especialmente pelos problemas de outros. Elas querem que tudo seja equilibrado e esteja em ordem, e, em vez de deixarem que a vida siga o seu rumo ou que as pessoas cheguem ao entendimento com o passar do tempo, elas impacientemente apressam as coisas. Similarmente ao modo como pessoas com a linguagem Abraão podem descuidar de si mesmas e daqueles mais próximos, tudo isso enquanto cuidam das necessidades de estranhos em sua exagerada hospitalidade, aqueles com a linguagem Moisés podem colocar sobre si mesmos os desafios do mundo e buscar corrigi-los. Como uma pessoa assim observou: "Eu me sinto como se tivesse de desarmar todas as minas da vida daqueles ao meu redor. Posso ver claramente o ponto em que estão prestes a explodir seu mundo financeiro, e minha vontade é enfatizar isso e ajudá-los a perceber o que está para acontecer. Sei o quanto as finanças são importantes para uma vida verdadeiramente saudável."

Vemos esse lado obscuro surgindo na vida de Moisés. Enquanto os israelitas viajavam pelo deserto, problemas e discussões não deixavam de surgir. Moisés tentava mediá-los e decidir como lidar com todos eles, tomando decisões para resolver as desavenças desde a manhã até o anoitecer. Em Êxodo 18, o sogro de Moisés, Jetro, sentou-se com ele e deu alguns conselhos sábios e antigos para ajudar a minimizar a tendência de assumir responsabilidades demais e de trabalhar excessivamente.

Ele basicamente lhe disse: "Moisés, você não resistirá se continuar tentando fazer tudo funcionar para todos e lidando com todos os problemas deles. Seu desejo de ordem, de avaliar as situações, causará muito desgaste. Escolha pessoas capazes, dentre o povo, para lidar com os problemas pequenos que a multidão está enfrentando, enquanto você lida com as questões mais difíceis". Claramente, Moisés estava assumindo coisas demais, tentando gerenciar tudo sozinho.

Esse aspecto do lado obscuro de pessoas com a linguagem Moisés surge quando elas assumem responsabilidades demais pelos problemas do mundo. Pessoas assim querem que tudo esteja certo, no lugar, em equilíbrio e em ordem. E não somente isso, mas também querem ser aquelas a garantir que tudo isso aconteça como deve. Às vezes, elas se intrometem nos problemas financeiros alheios de forma indesejável. Quando veem um problema, sentem-se na obrigação de resolvê-lo.

Esse desejo de assumir tantas responsabilidades pode levar pessoas com a linguagem Moisés ao vício do trabalho. Sempre há alguma coisa que precisam terminar, algo que pode ser melhorado. Caso assumam como seus os problemas financeiros alheios, podem voltar-se tanto ao que precisa ser organizado ou melhorado, que gastarão as energias além dos limites saudáveis, ficando esgotadas emocional ou financeiramente.

Crescimento na saúde financeira

Reconheça o seu desejo de estabelecer a ordem e a resistência

Você tem uma vida financeira bem organizada. Faz o orçamento com cuidado, muito provavelmente em um nível que outros gostariam de alcançar. A organização financeira flui naturalmente, e isso significa muito para você, pois foi criado para revelar o que é ter um estilo de vida bem organizado e resistente, especialmente no que se refere a finanças. Você reflete no mundo a coerência, a firmeza e a ordenação de Deus. Em vez de enxergar-se como alguém obcecado por dinheiro, ou que se importa demais com ele — perceba que essas tendências são possíveis —, é mais provável que você viva os pensamentos, as emoções e as ações de uma pessoa criada para a resistência, propensa a estabelecer a ordem.

Vive com um forte senso de *dever*. Você vê claramente as situações financeiras, especialmente os desafios, portanto, é alguém de muito valor para pessoas, grupos ou organizações que estão centrados na administração financeira ou que precisam dela. Provavelmente, você é excelente em dar orientações simples, claras e diretas sobre como lidar com dinheiro, mesmo que não tenha um conhecimento macro da economia nem um treinamento formal em gestão de patrimônios. Ainda que não disponha de altas quantias, o seu modo de usar o dinheiro faz lembrar que a administração financeira cuidadosa é possível e deve ser levada a sério.

Cuide do seu próprio dinheiro

Em virtude do desejo de estabelecer a ordem ao seu redor, particularmente em relação a finanças, você precisa precaver-se de cuidar do dinheiro dos outros quando não é solicitado. Nem todo mundo quer um orçamento organizado, e, mesmo assim, as pessoas podem administrar as finanças de um jeito perfeitamente saudável para elas; podem até mesmo ter uma situação financeira relativamente boa. Ainda que você considere o seu método o melhor, existem outras maneiras de usar o dinheiro, cada uma levada por um desejo único de interação com as finanças de um modo em particular. Considere-se um recurso para aqueles que buscam orientação, em vez de intrometer-se onde não é desejado nem convidado.

Você precisa tomar cuidado para não ser crítico demais quando alguém do seu convívio lida com dinheiro de um modo que o irrite. O instrutor financeiro no coração de uma pessoa com a linguagem Moisés precisa demonstrar bondade aos jogadores enquanto eles aprendem os princípios básicos, ao mesmo tempo exercendo pressão suficiente para que eles não prossigam em seus vícios financeiros. Um bom técnico sabe que nem toda partida serve de aula na vida de um jogador. Você precisa escolher cuidadosamente o momento certo de ensinar.

Jetro tinha bons conselhos para pessoas com a linguagem Moisés como você quando se trata de recursos — escolha sabiamente os lugares e os problemas nos quais investir as suas energias. Isso o ajudará a preservar-se do lado obscuro da impaciência que leva ao vício do trabalho. Não se envolva em todo conflito que surgir à sua frente; não tente resolver os problemas do mundo inteiro. Você se desgastará; você falirá. Há pessoas suficientes ao seu redor para ajudar. Você, pessoa com a linguagem Moisés, precisa ter cautela com o que escolhe solucionar. Vá atrás de coisas grandes que somente você pode resolver. Isso não diz respeito a quão valioso ou importante é o problema, mas sim a quão crucial parece ser ao seu coração. Se tudo parecer crucial, bem, então recue e leia o conselho de Jetro mais uma vez.

Estabeleça ritmos de descanso

Embora você extraia energia da organização financeira, como uma pessoa com a linguagem Moisés, precisa de descanso financeiro. Você pode ter a tendência de pensar em dinheiro o tempo todo, então, precisa desligar-se das questões financeiras de vez em quando. Uma pessoa com a linguagem Moisés revelou que não queria carregar sozinha e continuamente todo o peso financeiro e toda a responsabilidade da sua casa. Além disso, ela até desejava não pensar sempre em dinheiro. Em suas próprias palavras, ela lamentou: "Não consigo parar de pensar em dinheiro. Às vezes, eu me esforço demais para manter tudo em ordem; isso realmente me pesa".

O princípio do sábado mostra a pessoas com a linguagem Moisés, como você, que elas não controlam o mundo. Um dia por semana, o Senhor ordenou que o povo de Israel fizesse uma pausa no trabalho. Pense em incorporar ao ritmo da sua semana algum espaço, sejam dias, sejam horas, para confiar nas estruturas que você estabeleceu a ponto de poder desligar o seu pensamento do dinheiro, não de um modo que cause prejuízo financeiro, mas que permita à sua alma restabelecer-se.

Adote a paciência

Seja paciente, tanto consigo mesmo quanto com os outros, quando se trata de dinheiro. Se quiser crescer — e sentir-se à vontade onde quer que esteja, mesmo que nada seja como deveria —, precisa relaxar, acolher as pessoas e os sistemas como estiverem, permitindo que a sua presença e a sua firmeza examinem o que precisa ser mudado. Não dispare críticas constantemente, nem se chateie com o que está em desordem.

Você, com a linguagem Moisés, relaxe! Vamos chegar lá; só levará um tempo maior. Evite levar tudo, especialmente as questões financeiras, tão a sério. Pare de carregar o peso do mundo nas costas. Influencie quando puder, onde puder e onde for convidado a dar opinião. Pode até questionar o processo, mas de modo que os outros se sintam amados, não ameaçados. Especialmente no que se relaciona a dinheiro, seja paciente com os outros e consigo mesmo. Isso pode ajudá-lo a contemplar como Deus criou singularmente outros tipos, o que promoverá compaixão e paciência.

De relutante a confiante: uma pessoa com a linguagem Moisés aceita o seu propósito

Cassie, sobre quem você leu há pouco, mudou-se para a cidade e conhecia somente umas poucas pessoas na região. Em nossa vasta igreja, ela tentou integrar-se, minimizando o fato de que tinha um papel de destaque em sua profissão de banqueira. Quando eu descobri que ela estava no setor de serviços financeiros, convidei-a para tomar um café a fim de conhecer a sua história. Ela era bem típica de outros que conheci com o seu perfil — não conseguia achar um modo de associar o amor pela administração financeira ao seu ministério na igreja local.

Então, pedi-lhe que desse um curso de administração financeira bíblica. Ela fugiu da oportunidade no início, dizendo que o seu conhecimento da Bíblia não era tão bom. Assim, fizemos um acordo: eu seria o seu copiloto na aula, e, se surgissem debates sobre a Escritura e as finanças, ela poderia passar-me a palavra se a considerasse além de sua alçada.

O que aconteceu, enquanto ela ministrava o curso em um período de três meses, foi uma das transformações mais impressionantes que eu já vi. A transformação não foi de uma vida desmoronando para uma vida bem organizada, mas sim aquela que acontece quando o Espírito de Deus desperta alguém para a realidade de que os seus desejos, como o de estabelecer a ordem financeira, são profundamente espirituais.

Cassie nunca tinha ligado uma coisa a outra antes. Para ela, o seu trabalho não era ruim, mas era *secular*. Ela não cantava, não pregava, nem conhecia, como ela própria disse, as Escrituras tão bem. A seu ver, não tinha um ministério. Agora, porém, você pode perguntar às centenas de pessoas que participaram de suas aulas, que viram Cassie transmitir-lhes os princípios e os passos necessários para a liberdade financeira, e elas dirão que Cassie tem um dos ministérios mais poderosos que já conheceram. Ela ministra ao ajudar as pessoas a colocar a casa financeira em ordem.

Cassie tem o dom especial de abordar questões financeiras complicadas, destrinchá-las e fornecer aos outros passos simples que podem seguir para alcançar os objetivos. Ela se identifica com a linguagem Moisés, e tudo o que precisava era de uma oportunidade e de uma nova perspectiva para entender que, como Moisés, ela pode traçar as trilhas financeiras para que as pessoas sigam-nas rumo aos seus sonhos, e que a ordem financeira fluindo naturalmente dela é uma característica desejada por muitos. Ela é metódica, clara em seu pensamento e em seus conselhos, ajudando as pessoas a adotar uma abordagem de longo prazo e de resistência rumo aos objetivos financeiros, mantendo Deus em mente o tempo todo.

Uma bênção
para pessoas com a linguagem Moisés

> *Vemos Deus em você — na sua firmeza, nas suas rotinas e na sua vida bem organizada. Sentimo-nos seguros ao saber que você será amanhã o mesmo que é hoje. Você nos faz lembrar do Deus infinitamente imprevisível, além do que podemos imaginar, ainda*

que, de algum modo, permaneça imutável e reconhecível. Sabemos que Deus estabelece os ritmos deste mundo — o nascer e o pôr do sol, a mudança das estações. Temos um vislumbre de Deus em você quando o observamos trabalhar firmemente rumo a suas terras prometidas, enquanto caminha passo a passo em direção aos seus sonhos para o futuro. Sua resistência inspira-nos a não desistir, a perseverar. Obrigado por mostrar-nos um lado de Deus que muitas vezes podemos ignorar porque simplesmente damos por certo — o Deus que trabalha em silêncio nos processos comuns e cotidianos da vida para prover a estabilidade, a ordem e a justiça.

Passagens bíblicas
para a alma **resistente**

Leia as passagens bíblicas a seguir, cada uma acompanhada de palavras para personalizar este exercício. Veja a passagem com a qual você mais se identifica. Então, leia-a calmamente em voz alta várias vezes, escreva-a e medite sobre ela até que possa memorizá-la. Pelos próximos dias, certifique-se de saber que você transmite o amor de Deus ao mundo de maneira significativa e que as Escrituras confirmam o seu modo de ser no mundo com relação aos recursos.

Posso confiantemente lidar com os recursos da forma como fui estruturado. "Por isso, não abram mão da confiança que vocês têm; ela será ricamente recompensada. Vocês precisam perseverar, de modo que, quando tiverem feito a vontade de Deus, recebam o que ele prometeu" (Hebreus 10:35-36).

Quando sou questionado sobre a minha perspectiva, posso compassivamente partilhar o que ela significa para mim, pois a Bíblia diz: "Mas tudo deve ser feito com decência e ordem" (1Coríntios 14:40).

Que eu não desanime de fazer o bem, porque "no tempo próprio colheremos, se não desanimarmos" (Gálatas 6:9).

Perguntas para reflexão
para pessoas com a linguagem Moisés

- Como você organiza ou ordena as suas finanças? Que rotinas ou hábitos você tem? Como isso o faz sentir?

- Quem mais em sua vida tem a linguagem Moisés?

- Das principais características ou histórias de Moisés ou de pessoas com a linguagem Moisés, com qual você mais se identificou e por quê? Como você se vê à luz dessa característica ou história?

- Você tem algum conflito financeiro com alguém? Se tiver, como a sua linguagem financeira Moisés pode ter contribuição nesse conflito?

- O que você planeja fazer de diferente com o seu dinheiro, agora que entende a sua linguagem financeira Moisés?

- Qual é a maior verdade que você aprendeu sobre a linguagem financeira Moisés?

CAPÍTULO SETE

Linguagem nº 6

Arão: Humildade

Toda vez que Arão entrar no Lugar Santo, levará os nomes dos filhos de Israel sobre o seu coração no peitoral de decisões, como memorial permanente perante o Senhor.

ÊXODO 28:29

As vestes sacerdotais de Arão recebiam uma atenção especial; cada cor, cada fio, cada pedra, cada medida, cada forma e qualquer outro aspecto eram verificados.

Os alfaiates, convocados por Moisés, criaram trajes que atraíam a atenção de quem os via, fazendo Arão lembrar, sempre que os vestia, que a sua vida era diferente da do restante. Arão foi separado para um propósito específico, santo para o Senhor.

A ideia de *ser separado* para uma tarefa estava impregnada na consciência de Arão. Desde o momento em que encontrou Moisés, ele percebeu que o seu papel era importante, mesmo sendo também de submissão — Arão era o porta-voz de Moisés; o que Deus falava a Moisés, Arão repassava ao povo. Em humildade, Arão aceitou sua missão altruísta. Agora, ele estava sendo separado para servir ao povo como sacerdote.

Ninguém menos que o Senhor desenhou os trajes de Arão para aquela missão especial: "Faça um peitoral de decisões [...] de fios de ouro e de fios de tecido azul, roxo e vermelho. Será quadrado, com um palmo de comprimento e um palmo de largura, e dobrado em dois [...] fixe nele quatro fileiras de pedras preciosas" (Êxodo 28:15-17). Para ser preciso, quatro fileiras de três pedras, doze ao todo.

Sobre cada pedra foi gravado o nome de família de uma das doze tribos de Israel. "Toda vez que Arão entrar no Lugar Santo, levará os nomes dos filhos de Israel sobre o seu coração no peitoral de decisões, como memorial permanente perante o Senhor" (Êxodo 28:29). No restante dos seus dias, Arão carregava o povo de Israel perto do coração, e cada sacrifício ou oferta que ele tinha em mãos simbolizava a reconciliação entre Deus e a humanidade.

Mais recursos fluíram pelas mãos de Arão do que pelas mãos de qualquer outro. Quando o povo pecava, seja contra Deus, seja contra outra pessoa, Arão e seus filhos mediavam o sacrifício, reparando as ofensas e acertando as contas. Quando as situações requeriam ofertas e celebração, Arão conhecia a lei de cor; ele recebia as ofertas e adequadamente as preparava e apresentava.

Cada tribo, cada nome sobre cada pedra, tinha a sua função. Mas Arão e seus filhos foram separados para trabalhar no tabernáculo e, eventualmente, no templo de modo específico — eles sozinhos preparavam os sacrifícios diante do Senhor; apenas eles mantinham as instalações religiosas funcionando como deveriam. Eles conheciam o sistema religioso como ninguém, e suas vidas estavam em jogo a cada sacrifício, a cada oferta.

O modo como Arão lidava com os recursos trazia consequências para a sua própria vida e para a vida do povo de Deus. Ele os usava, portanto, com grande cuidado; abusar dos recursos ou usá-los indevidamente significava prejudicar o seu bem-estar e o de seus companheiros israelitas. Arão, mais do que qualquer outro personagem que modela uma linguagem financeira, entendia a santidade da administração de recursos e usava esses recursos com profunda humildade.

Arão representa a humildade, que não deve ser interpretada equivocadamente como fraqueza, mas como uma avaliação adequada de si mesmo. O termo *humilde* origina-se da palavra latina *humus*, que significa "do solo ou da terra".[14] Arão incorpora essa definição de humildade. Líder capaz, estava sempre em meio ao povo, entendendo suas necessidades e fazendo todo o necessário para mantê-los em ordem e preservar a continuidade da missão. Em vez de ser um líder afastado e elitista, trancado em uma torre de marfim, Arão era o sacerdote do povo; vivia em meio a ele e movia-se com ele.

CRENÇA BÁSICA: o dinheiro deve ser usado para servir as pessoas

Em sua essência, pessoas com a linguagem Arão acreditam que o dinheiro deve ser usado como um meio de servir aos outros. Têm um aguçado senso de dever ou de obrigação no uso dos recursos para o benefício dos demais. Quando se trata de dinheiro, pessoas com essa linguagem pensam primeiro nas necessidades do mundo ao redor, depois se concentram nas próprias necessidades. São sacrificiais com as finanças. Na vida de Arão, raramente o vemos, se é que vemos, centrado nas próprias necessidades; ele simplesmente serve ao Senhor e ao povo, e Deus provê a ele por meio do povo e de seus sacrifícios e suas ofertas.

As linguagens Arão e Abraão são parecidas em suas inclinações e ações altruístas. No entanto, a motivação é diferente.

Enquanto uma pessoa com a linguagem Abraão busca colocar os outros em primeiro lugar pelo desejo de que experimentem alegria, prazer ou de que se sintam especiais por meio da hospitalidade, a pessoa com a linguagem Arão é motivada interiormente, pelo senso de dever e de responsabilidade no cuidado da pessoa necessitada — simplesmente é a coisa certa a fazer. Pessoas com a linguagem Abraão podem usar o dinheiro para que os outros se sintam especiais e valorizados; aquelas com a linguagem Arão veem o dinheiro como um meio de garantir que tudo esteja certo e em ordem, que as necessidades sejam supridas. Simplesmente querem que as coisas estejam certas, e isso é esperado de alguém assim, cujo patrono foi um sacerdote que passava os dias assegurando que cada detalhe da Lei fosse seguido precisamente com respeito aos recursos na forma de sacrifícios e ofertas. Com certeza, a Bíblia ensina que todas as pessoas devem cuidar dos necessitados, e toda pessoa responsável, de qualquer linguagem financeira, tem a propensão para tal. Para aquelas com a linguagem Arão, entretanto, essa inclinação é a motivação principal do seu modo de lidar com dinheiro, e isso vem de sua crença básica de que o dinheiro deve ser usado para ajudar os outros.

A orientação altruísta e a crença básica sobre dinheiro levam pessoas com a linguagem Arão a pensar pouco em si próprias na vida financeira. Em alguns casos, prefeririam pensar em tudo, menos em dinheiro. Creem firmemente que Deus suprirá suas necessidades, portanto, não vale a pena preocupar-se com elas. Assim como Arão, que não possuía terras e dedicou os seus dias a servir aos outros, concentrando-se nos recursos que eram trazidos diante do Senhor, pessoas com a linguagem Arão não se ocupam em construir o próprio império. Usam suas finanças de um modo que lhes pareça responsável — para servir às necessidades de outros. Não quero dizer que elas não tenham posses, mas simplesmente destacar a sua tendência de ver o dinheiro como ferramenta de serviço.

Pessoas com a linguagem Arão revelam-nos a imagem de um Deus que serve ao povo de acordo com as necessidades de cada um, que se envolve nas situações mais repugnantes e deploráveis para trazer reconciliação e renovação. Arão, como o Senhor, serve ao povo com amor e humildade.

Elas vão inspirá-lo com seu nível de confiança desenvolta, o que as capacita a usar o dinheiro de forma altruísta. Ao longo dos anos, uma pessoa com a linguagem Arão, Jarrett, desafiou-me com a sua maneira de ver o dinheiro como um recurso que o capacita a atender às necessidades de outras pessoas.

"Devo ser o rapaz de 22 anos mais tranquilo na área financeira que você conhece, que não é viciado em sexo, drogas e *rock and roll*", afirmou o meu sempre poético amigo Jarrett, enquanto estávamos em seu escritório levemente iluminado. Ele continuou: "Nunca me preocupei com dinheiro; eu me preocupo com os relacionamentos. Nos meus primeiros passos na fé, mergulhei de cabeça, portanto, nunca tive reservas para compartilhar a fé que encontrei e nunca tive reservas quanto a dinheiro".

O seu escritório lembrava a caverna de um homem religioso, com uma decoração mínima, porém representativa de suas paixões mais profundas. Sobre a sua mesinha estavam quatro fotos que ele havia tirado da fauna africana quando visitou aquele continente. Na parede oposta, havia duas relíquias africanas, que se pareciam muito com cabeças de zebra. A foto que mais me chamou a atenção foi um retrato de 13 x 18 cm, com uma moldura bem simples. Jarrett e duas crianças africanas sorriam para a câmera. Ele apontou para uma delas que estava à esquerda. "Este não pôde ficar na escola em que o coloquei; voltou a cheirar cola."

Jarrett encontrou aquele menino pré-adolescente na rua; ele nunca teve uma família. Desde quando o garoto podia lembrar, cresceu lutando pela sobrevivência, como uma das muitas crianças de rua em seu pobre país. Jarrett explicou-me que as crianças de rua são geralmente órfãs, enquanto outras fugiam de casa, e elas estavam por toda parte na região que ele visitou. "Voltar a cheirar cola" significava que o menino estava lidando com um vício que ele adquiriu ao lutar contra as dores da fome. Pelo equivalente a uns trinta centavos, ele podia comprar uma fruta ou um pouco de cola. A fruta traria alívio por algumas horas; cheirar cola tapearia as dores da fome por alguns dias. O efeito colateral? Nesse ritmo, morrerá em alguns anos.

"O outro menino aqui, eu o encontrei em um barraco", disse Jarrett. "Tinha cheiro de urina por toda parte. Nem ele nem as suas irmãs tinham comido o dia todo, e já eram quatro horas da tarde. Recebi um telefonema dele ontem. Ainda está na escola; ele está bem."

Há poucos meses, Jarrett voltou de sua viagem internacional, na qual se associou a uma escola religiosa que ensina inglês para crianças, especialmente crianças de rua. A organização é metade agência missionária e metade propriedade educacional. Para Jarrett, é exatamente a ocupação a que ele dedicaria a sua vida se tivesse os recursos para tal. Chegar lá para a sua primeira viagem, uma estadia de quatro meses durante os quais ele se infiltrou em locais afetados pela guerrilha, tornou-se um desafio para Jarrett.

"Sempre senti que tinha um chamado para missões estrangeiras", ele explicou. "Eu estava bem confuso sobre a razão de ter a oportunidade para ir ao exterior por apenas quatro meses. Na minha cabeça, eu moraria onde exerci o ministério, nessa viagem, pelo resto da minha vida." A única coisa que estava entre Jarrett e a sua missão de quatro meses era cerca de 8 mil dólares. "Eu estava apreensivo com a ideia de angariar fundos", ele disse, com os olhos estalados e reclinando-se. "Sabia que, de algum modo, o dinheiro viria, mas eu recebia uma doação realmente grande e, depois, ficava semanas sem receber nada."

Jarrett ainda morava com a família, então, suas despesas gerais eram mínimas e cobertas por meros 350 dólares por mês (antes dos impostos) que ele ganhava cuidando de crianças depois do horário escolar em uma escola cristã local. Mas ele estava nesse trabalho simples de meio período para que pudesse manter um horário livre a fim de engajar-se em projetos ministeriais. Ele tinha razões suficientes para estar preocupado com o levantamento de recursos.

O seu senso de humildade altruísta — que conduz a sua filosofia financeira; então, se ele tem suas necessidades básicas supridas e pode servir aos outros, tudo vai bem — revelou-se diante de mim pela hora seguinte: manter poucas despesas e ganhar o suficiente para sair com os amigos e para desfrutar de algumas xícaras de café, *pizza* e um suco gelado. Se ele tivesse o suficiente dessas coisas essenciais, estaria bem. Expliquei-lhe como que essa filosofia financeira me levaria à loucura total. Ele tinha participado dos seminários de administração financeira sobre orçamento e poupança que eu ministrei e, finalmente, confessou: "Escute, os cursos que você ministrou... Eu gosto de você, cara, mas esse negócio não é para mim. Tudo o que tenho hoje já está bom; Deus proverá o que eu precisar e me enviará aonde quer que eu necessite ir".

Deus fez exatamente isso. No culto de quarta-feira à noite, antes da semana em que Jarrett deveria partir, o pastor da igreja contou à congregação sobre a viagem que Jarrett pretendia fazer e que ele precisava de 15 mil dólares para arcar com as despesas da passagem de avião.

"Ele falou o número errado", Jarrett explicou. "Eu precisava de pouco mais de 3 mil dólares, mas não queria ser o cara que se levantava na igreja e corrigia o pastor que fazia um apelo por ele. Só imaginei que Deus daria um jeito."

No final do culto, uma mulher idosa aproximou-se de Jarrett e disse que estava economizando dinheiro para entregar-lhe, a fim de encerrar a sua empreitada de angariação de fundos. Como geralmente acontece, foi o suficiente para colocá-lo no avião.

A filosofia de Jarrett provou-se correta, mas ainda enlouquece este aqui, com a linguagem Isaque. Jarrett, uma pessoa com a linguagem Arão, continuamente me lembra de que existe mais de uma maneira de experimentar a saúde financeira e de que algumas pessoas prosperam em sua abordagem altruísta quanto a finanças ao serem solicitadas a suprir as necessidades dos outros ao redor pelo seu modo de lidar com dinheiro.

PRINCIPAIS CARACTERÍSTICAS
de pessoas com a linguagem Arão

São inocentes quanto a dinheiro e abertas à aventura

Pessoas com certas linguagens planejam detalhadamente o seu futuro financeiro. Fazem análises com base em seu patrimônio atual, em tendências financeiras históricas, em condições potenciais de levantamento de crédito e em outras variáveis financeiras. Elas também sabem precisamente, se tudo acontecer de acordo com o plano, a sua idade de aposentadoria. Então, elas partem daí e verificam como podem chegar a esse número mais rápido. Pessoas com a linguagem Arão, em média, não calculam esse número. São bem mais inocentes em relação às suas finanças. Não costumam criar planos financeiros de longo prazo; não pensam no amanhã. Elas, com um profundo senso de confiança em Deus e no mundo ao redor, concentram-se no que está à sua frente a cada momento, em vez de voltar-se a interesses financeiros de longo prazo.

A missão especial de Arão, da parte do Senhor, exigia que ele confiasse em Deus como sustentador e provedor, em vez de acumular recursos para o futuro. O Senhor disse a Arão: "Você não terá herança na terra deles, nem terá porção entre eles; eu sou a sua porção e a sua herança entre os israelitas" (Números 18:20). Quando o povo de Deus finalmente entrou na terra prometida, os parentes de Arão, da tribo de Levi, não tinham herança na terra. A vida deles não era sustentada pela terra ou pelo pó, mas somente por Deus. Seu único propósito era lidar com os recursos, não sendo por eles manipulados, a fim de passar pela terra sem apego aos recursos materiais.

Pessoas com a linguagem Arão seguem o exemplo — não estão construindo um império; provavelmente não estão maximizando os recursos; estão apenas fazendo o que se apresenta à sua frente para a glória de Deus. Quase não se envolvem na administração financeira, fazendo apenas o bastante para gerir funcionalmente o dinheiro, mas sem lhe dedicar tanta atenção a ponto de parecer que se importam muito. Isso, para alguém com a linguagem Arão, basta. Pessoas assim confiam que o Senhor será a sua herança e a sua porção.

Se você quiser desmotivar pessoas com a linguagem Arão, comece a falar de planejamento financeiro de longo prazo — o olhar fica vago ou começam a revirar os olhos. Não é que elas não estejam interessadas em dinheiro; é que não se preocupam o bastante para refletir sobre o que precisarão ou sobre o que farão com ele em vinte anos. Pessoas assim vivem o presente; não pensam no futuro financeiro a longo prazo, a menos que tenham aprendido a fazer isso por uma questão de responsabilidade ou de necessidade. Em seu mundo perfeito, não teriam de planejar o seu futuro financeiro.

A atitude de inocência de pessoas com a linguagem Arão com relação ao dinheiro pode levar aqueles com outras linguagens a vê-las como irresponsáveis. No entanto, não é necessariamente o caso. O dinheiro simplesmente não é fator determinante, contra ou a favor, quando fazem o que sentem que foram chamadas para fazer. Enquanto muitos de outras linguagens investiriam menos para fazer o que amam, a compensação financeira é um aspecto pouco levado em consideração no processo decisório de pessoas com a linguagem Arão em relação a outras. Arão entregou sua vida ao serviço de Deus e do próximo. Imagine a pessoa que larga um emprego bem remunerado para servir a uma organização assistencial em um país de terceiro mundo — trata-se, provavelmente, de uma pessoa com a linguagem Arão que se retirou do sistema. Aqueles com a linguagem Arão pensariam mais em causar um impacto imediato no mundo ao redor do que em planejar o futuro financeiro a longo prazo.

Certa vez, trabalhei com um jovem de vinte e poucos anos que expressava essa atitude de espírito livre quanto a finanças. Zac mudou-se para a região porque ele queria participar da nossa igreja. Formado em uma faculdade teológica, tinha competência para a obra ministerial profissional, mas não havia lugar para ele em uma função ministerial tradicional. O único cargo disponível era de supervisor do segundo turno da equipe de manutenção. Ele tinha aptidão para a formação de equipes, e o grupo precisava de alguém com essa habilidade. Então, apesar de oferecerem um pagamento baixo, ele pegou a sua família, colocou as suas coisas no caminhão de mudança e veio para a nossa cidade. Na semana seguinte, começou o seu trabalho na igreja, limpando os banheiros, trocando as lâmpadas e liderando um grupo esfarrapado de levitas contemporâneos, segurando chaves inglesas, reparadores de ar-condicionado, que mantinham o lugar limpo e funcionando. A fita adesiva e a oração mantinham as instalações de pé; ele precisava de um estoque de ambas.

Nos primeiros meses, o coração de Zac parecia envolvido na obra. Depois, outros membros do grupo descobriram seu talento musical e artístico. Ele sempre era chamado para tocar guitarra aos domingos ou, quem sabe, criar um logotipo para alguma equipe do ministério. Enquanto os outros na equipe de manutenção usavam botinas de segurança e calças cargo por causa do tipo de trabalho, Zac usava *jeans* apertados e ostentava um corte de cabelo de causar inveja a todas as moças da sala. O rapaz parecia um artista — e ele era.

Infelizmente, limpar a arte urinária feita por crianças de quatro anos nas paredes do banheiro não foi suficiente para manter o meu supervisor artista profundamente motivado. Ele continuou comparecendo, e fazia o melhor para um bom dia de trabalho, mas ambos sabíamos o que ia acontecer.

Estava claro que Zac tinha um perfil diferente do que o necessário para limpar balcões. Mas, mesmo assim, a igreja não tinha nenhum cargo a oferecer. Assim, depois de muita deliberação, ele se demitiu. Estava muito triste. Quando lhe perguntaram o que faria agora, ele não tinha ideia. Para pagar as contas, fez algumas apresentações musicais pouco lucrativas na região, vendeu pedais de guitarra pela internet e fez mesas de centro com madeira reciclada. Enquanto essa incerteza irritaria outras pessoas, parecia inspirar Zac.

Zac é uma pessoa aberta à aventura. Eu preciso de um plano de cinco anos; ele só precisa de um aviso de cinco minutos. Acha que tudo dará certo. Não é preguiçoso; ele simplesmente não se preocupa, sempre sabendo manter-se. Sua família é feliz e saudável; sua hipoteca está paga.

Agora, ouvi que ele pretende viajar por todo o país para ajudar a servir, ao lado dos pais, em um cargo ministerial. Meu palpite é de que ele vem de uma grande linhagem de pessoas com a linguagem Arão, e a atitude de confiar no Senhor e no povo foi incutida nele desde o nascimento. Ele nunca se encaixará em um escritório corporativo porque não foi criado para isso. Foi feito para a estrada, criado para a aventura, e acredita que tem tudo de que precisa. O amanhã cuidará de tudo enquanto ele estiver disposto a fazer o que Deus colocar à sua frente.

Estão cientes da injustiça e preocupam-se com ela

Pessoas com a linguagem Arão têm uma consciência aguçada das injustiças do mundo ao redor e preocupam-se com elas. Considere a grande quantidade de sacrifícios ofertados ao Senhor pelas mãos de Arão — cada um para um propósito específico e, na maioria das vezes, a fim de reparar o relacionamento com Deus ou com outra pessoa. Essa consciência das injustiças torna pessoas com a linguagem Arão particularmente céticas a respeito de como o dinheiro pode ser alavancado como poder — estão sempre estendendo as mãos para o marginalizado.

Pastor do início do século XX, historiador e reformador social, Walter Rauschenbusch é um exemplo dessa característica. Ele buscou sacudir a igreja da sua tendência míope e introvertida de concentrar-se em assuntos somente *espirituais*, deixando as questões sociais de lado. Rauschenbusch afirmava que, ao final da segunda-feira, todo o bem espiritual que veio do culto de domingo já tinha passado. O trabalho da igreja, exceto ao lidar com a crise social da época, parecia supérfluo.

A maioria estava satisfeita em separar a religião das questões sociais, consequentemente separando a religião das finanças, exceto aquelas ofertadas na igreja. Na época de Rauschenbusch, se a questão não fosse espiritual, não era assunto com o qual a igreja deveria preocupar-se. Ele buscava corrigir essa falácia, afirmando:

> Religião é a santificação de toda a vida, e o seu poder de conferir saúde será sempre prejudicado se não houver acesso livre a alguns órgãos pelos quais ela cumpre a sua missão.[15]

Ele simbolizava o estilo de Arão, usando as finanças como meio de criar uma comunidade mais justa.

O modo como pessoas com a linguagem Arão lidam com dinheiro é basicamente espiritual, mas necessariamente social em suas questões e em suas consequências. Negar a conexão livre entre a fé e o dinheiro, como Rauschenbusch observou de forma bem eloquente, é negar o poder de cura do evangelho em toda a sua amplitude. A religião que não alcança nossos bolsos nem nossas bolsas não é nada boa. E a religião que é tão pessoal a ponto de influenciar somente o coração da pessoa, mas não afetar o seu senso de responsabilidade pelo próximo, é inútil. Trata-se de piedade pessoal que nada sabe sobre a Bíblia, que sempre nos pede para considerar como a nossa fé opera na comunidade e como as nossas finanças trabalham na sociedade como um todo.

Ninguém conhecia a Lei dada por Deus ao povo, por meio de Moisés, melhor do que Arão. A Lei afirma: "Se fizerem empréstimo a alguém do meu povo, a algum necessitado que viva entre vocês, não cobrem juros dele; não emprestem visando a lucro" (Êxodo 22:25). A palavra hebraica para "usura" ou juros, como a chamamos, é *néshek*. Se uma pessoa exigisse *néshek* de outra, não fazia parte da família da casa de Israel — simples assim. A ideia de tirar dinheiro do próprio povo, especialmente dos pobres, depunha contra a graça de Deus em suas vidas — um Deus que fez chover gratuitamente o maná do céu todos os dias. Exigir algo de volta como pagamento além do que foi emprestado, quando cada um dependia de Deus para ter o pão de cada dia, demonstrava uma memória bastante curta a respeito do que Deus havia feito como provisão ou, no mínimo, ausência de reconhecimento.

Pessoas com a linguagem Arão, em humildade, lembram que Deus foi o seu provedor e, portanto, acreditam que os recursos não devem ser usados como um meio de explorar os outros. Embora alguns debatam se é apropriado exigir juros de um empréstimo concedido a outra pessoa, o ponto era claro para o povo de Israel no momento em que a Lei foi dada: o objetivo para com o dinheiro não é obter vantagem de seus irmãos e irmãs. Use o que tem para que todos possam fazer a jornada, em vez de explorar ou abandonar aqueles em necessidade.

Sentem-se compelidas a "tomar uma atitude"

Para Arão, o modo como os recursos deviam ser usados na adoração a Deus e em serviço dos outros estava distintamente descrito na Lei; um senso forte de responsabilidade para com os recursos era bastante claro na mente dos sacerdotes. Leis como aquelas, que ordenavam os fazendeiros a deixar o que caía de sua colheita ou parte de suas vinhas acessível aos pobres inspiraram em Arão um olhar que busca *o próximo*, aquele que, de outro modo, ficaria sem recurso (Levítico 19:9). De um modo parecido, quando pessoas com a linguagem Arão sentem que devem dar ou fazer algo para ajudar alguém, não conseguirão dormir até que o façam. Se não agirem, sentirão tanta culpa que não cairão no mesmo erro. Enquanto pessoas com outras linguagens podem, certamente, ser motivadas pelo Senhor a contribuir, aquelas com a linguagem Arão são motivadas por uma urgência que as faz sentir que *devem* contribuir ou que *convém* fazer algo.

Kristen, uma pessoa com a linguagem Arão, recebeu um aviso em seu escritório de que uma mãe solteira precisava de um colchão. A casa dela estava cheia de mofo, forçando-a a jogar fora todo tipo de móvel com tecido que tivesse, pois aquilo estava causando reações alérgicas. Kristen não tinha nenhum colchão a mais e, além disso, não tinha os recursos, naquele momento, para comprar um colchão para aquela mulher. Portanto, ela orou.

Kristen contou a sua história com lágrimas nos olhos. "Eu roguei a Deus que fizesse algo. Senti-me impotente, e eu sabia que a única coisa que podia fazer era orar. As necessidades dela deixavam o meu coração tão apertado, que clamei a Deus em oração várias vezes. Sabia que tinha de fazer alguma coisa, mas eu achava que não tinha nada com que pudesse ajudar."

Ao sair do seu condomínio para trabalhar, na manhã seguinte, ela deu uma olhada na lixeira, e ali, fechado na embalagem, estava um colchão novinho em folha. Kristen sentiu-se quebrantada pela provisão de Deus, por Deus ter respondido à oração de forma tão específica. Ela fez um mutirão com alguns amigos, colocou o colchão em um veículo e entregou naquela casa. Quando chegaram ao local, descobriram outro problema — mãe e filha teriam de dormir juntas se não conseguissem outro colchão. Kristen orou novamente e, podem acreditar, na manhã seguinte, outro colchão em ótimas condições tinha sido colocado na lixeira. Kristen e seus amigos entregaram o segundo colchão naquela tarde.

Dependendo da sua posição em seu sistema de crenças, você pode ver isso como um milagre, como a providência de Deus ou como o acaso. De qualquer modo, o que devemos observar aqui é o modo como uma pessoa com a linguagem Arão dedica o seu coração àqueles em necessidade. Kristen sentia-se pessoalmente responsável por cuidar da situação, ainda que não tivesse os recursos financeiros para solucionar o problema ou para suprir aquela necessidade. Isso é típico daqueles com a linguagem Arão.

Priorizam as necessidades humanas em vez do acúmulo de riquezas

Enquanto Moisés é lembrado como alguém de cima, em virtude de sua alta posição no Egito antes do êxodo, e por escalar o monte Sinai e encontrar-se com o Senhor, recebendo a Torá, Arão é lembrado como alguém de baixo, uma pessoa que se enraizava na vida e nas atividades do povo. Enquanto Moisés subia ao Sinai, Arão ficava com os israelitas.[16] Temos a sensação de que Arão não estava buscando subir uma escada para o sucesso ou uma montanha para o céu.

Meu irmão, Christopher, e sua esposa, Kelly, lembram-me muito de algumas das qualidades mais admiráveis de Arão, especificamente da característica de priorizar a necessidade humana em vez de acumular riquezas. No início do casamento, eles souberam que não poderiam ter filhos, uma notícia devastadora para um casal que sonhava em criar um vilarejo de crianças. Nossa família lamentou a notícia com eles. Logo, tornaram-se pais adotivos, recebendo crianças em sua casa, mesmo que apenas por um tempo. Conforme as crianças passavam por sua casa, eles decidiram que a adoção seria a melhor atitude diante das circunstâncias.

Ficamos encantados quando, depois de muitos meses de espera, uma adoção fracassada e muito dinheiro gasto (uma quantia enorme para aqueles dois jovens educadores de escola pública), recebemos uma ligação; eles tinham sido indicados para adotar um bebê do sexo masculino. Como uma adoção já tinha fracassado, todos preparamos os corações para o pior, enquanto esperávamos o melhor. Kelly e Christopher, no entanto, começaram a fazer os preparativos em sua casa.

No dia em que receberam o aviso oficial, confirmando a adoção, prepararam-se para pintar o que seria o quarto do bebê. Kelly, percebendo que se sentia meio estranha, verificou o calendário, fez os cálculos e teve a certeza de que estava com *o ciclo atrasado* além do normal. Só para descartar o "impossível", porque ela estava prestes a inalar tinta por horas, comprou um teste de gravidez. Você já sabe o final da história — no dia exato em que a adoção se oficializou, o jovem casal, a quem foi dito, em definitivo, que não seria possível conceber filhos, ficou sabendo que estava grávido. Naquele ano, Kelly encontrou-se na *deliciosa* posição de cuidar de um recém-nascido e de dar à luz outro.

Christopher e Kelly, que se identificam fortemente com a linguagem Arão, decidiram que ficar em casa e cuidar dos dois bebês seria a prioridade de Kelly, em vez de continuar a dar aulas — uma decisão financeira difícil, considerando o salário que professores de escola pública, como Christopher, ganham, especialmente em início de carreira. Mesmo assim, eles conseguiram lidar com a situação. Christopher trabalhou em alguns serviços de verão e deu aulas particulares para aumentar a sua renda, enquanto Kelly permaneceu em casa com os filhos e tornou-se voluntária em uma organização sem fins lucrativos que trata de questões relacionadas com adoção.

Eles não ficaram satisfeitos. Foram além, adotando um segundo bebê e gerando outro, em um total de quatro filhos (com outros na programação, se quiser saber). Financeiramente, isso não faz sentido. A adoção é cara, e, sem dúvida, eles gastaram dezenas de milhares de dólares que poderiam ter sido poupados, investidos ou usados em viagens e no conforto. Cuidar de crianças perto de formar um time de basquete é caro.

Christopher e Kelly, contudo, não se importam nem um pouco com as despesas. Eles estão profundamente preocupados com assuntos relativos a acolhimento familiar e adoção, investindo suas energias e, especialmente, seus recursos financeiros para causar o máximo de impacto possível; assim, outros podem ter oportunidades que, do contrário, não experimentariam. Exemplos clássicos da linguagem Arão, ao mesmo tempo que são competentes e responsáveis com o seu dinheiro, têm muito prazer em fazer sacrifícios extremos na área financeira em favor do próximo, especialmente se a causa envolve questões de injustiça e de sofrimento humano. Sendo assim, não foi nenhuma surpresa quando eles decidiram que o nome do meio do seu primeiro bebê adotado seria *Justice* (Justiça).

LADO OBSCURO: instabilidade

Pessoas com a linguagem Arão inspiram-nos com suas atitudes sacrificiais de inocência quanto a finanças, o que as capacita ao altruísmo e ao uso do dinheiro para satisfazer as necessidades humanas. Às vezes, no entanto, abordar o dinheiro de maneira despreocupada, ou ter tanta inclinação para perceber as necessidades dos outros e para apoiá-los, torna suas vidas financeiramente instáveis. Como é o caso de todos os lados obscuros, existe uma linha bem tênue entre o que é mais bonito e o que é mais perigoso em uma linguagem financeira.

Muita suscetibilidade ao que os outros querem

Um momento épico na vida de Arão tipifica esse aspecto de instabilidade com os recursos mais do que qualquer outro, e foi um momento que o humilhou totalmente. Moisés, que subiu o monte Sinai para receber os mandamentos de Deus, tinha partido há muito tempo, e as pessoas começaram a agitar-se durante a sua ausência. Como surgiram raios, relâmpagos, nuvens carregadas e sons terríveis ao redor da montanha, as pessoas perguntavam-se se ele teria efetuado o seu próprio êxodo da raça humana.

Então, eles suplicaram a Arão, que era o segundo no comando. "Venha, faça para nós deuses que nos conduzam, pois a esse Moisés, o homem que nos tirou do Egito, não sabemos o que lhe aconteceu" (Êxodo 32:1).

Convencido pelas pessoas que o pressionaram, querendo dar-lhes o que queriam para aliviar a tensão do momento, Arão idealizou um plano. Ele disse ao povo que entregasse o seu ouro; estava na hora de inventar um deus. Todo o ouro coletado foi derretido, e Arão modelou-o na forma de um bezerro. O povo declarou: "Eis aí os seus deuses, ó Israel, que tiraram vocês do Egito!" (Êxodo 32:4).

Quando viu a reação do povo, ele construiu um altar diante do deus. Tendo operado sinais e maravilhas antes, ele agora desempenhava o seu primeiro ato sacerdotal. Mal sabia ele que Moisés ainda estava vivo e com saúde na montanha, e que tinha acabado de receber instruções de que Arão seria o sacerdote do povo, levando suas cargas diante do Senhor. Arão, muito em breve, receberia a sua vocação, isto é, se Deus ou Moisés não o matassem antes.

Moisés ouviu e viu coisas naquela alta plataforma que nenhum ser humano tinha experimentado. Linha após linha, Deus descreveu-lhe como as pessoas deviam proceder, tudo isso enquanto elas se comportavam mal ao pé do monte. Deus instruiu Moisés a apressar-se e a descer, e com razão — todo o show seria destruído. E Arão, que se tornaria o primeiro mediador sacerdotal entre Deus e a humanidade, foi apanhado no meio de uma aula de cerâmica para a construção de ídolos, esperando que os seus participantes não desertassem. Os pensamentos de Deus desceram a montanha com Moisés enquanto os gritos de um povo agitado subiam. Quando percebeu o que tinha acontecido, Moisés teve um acesso de raiva e quebrou as duas tábuas com escritas divinas.

A humildade de Arão deu lugar à instabilidade, consentindo com os desejos insensatos de outros, e ele se viu atolado em culpa. Quando Arão encontrou o irmão, implorou: "Eles me disseram: 'Faça para nós deuses' [...] eu o joguei [o ouro] no fogo e surgiu esse bezerro!" (Êxodo 32:23-24). Pressionado de todos os lados por aqueles que desejavam dele a produção de um deus que pudessem controlar, que fosse mais seguro e mais tangível do que o Deus que operava uma demonstração de luz celestial sobre a montanha, Arão fez algo acontecer. Surgiu um bezerro, e o resto é história — uma história indelével para a alma de Arão.

No entanto, alguns momentos que mais aterrorizam uma pessoa são os que salvam a sua alma. Aquele momento moldou o caráter de Arão da mesma forma que Arão moldou o ouro para criar um ídolo. Lição aprendida: Deus é santo, e os recursos devem ser completamente dedicados ao Senhor. Pelo resto dos seus dias, Arão andou com humildade e com um caráter íntegro, incorporando a essência da pessoa altruísta, que mantém a dignidade e a responsabilidade para com os recursos e evita ser facilmente persuadida pelos motivos insensatos de outras pessoas.

Envolvimento em aventuras à custa da estabilidade

A mente aberta a aventuras de pessoas com a linguagem Arão pode fazê-las abrir mão de criar raízes e de estabelecer-se em um lugar. Podem estar tão desligadas da ideia de criar uma base sólida para o seu futuro financeiro, que não se preocupam em seguir uma carreira, em pagar a aposentadoria ou em ter uma casa em uma região fixa. Arão viveu em um contexto no qual ele era sustentado pelo sistema sacrificial que mediava. Isso era, porém, a sua carreira — e ele se manteve nela. Algumas pessoas com a linguagem Arão pegam as melhores qualidades que vemos nele — a falta de preocupação obsessiva com dinheiro e a disponibilidade para ir a qualquer lugar e para servir a Deus de qualquer maneira — e extrapolam. Elas ignoram o fato de que Deus estava levando as pessoas para uma terra onde elas poderiam estabelecer-se, a terra da promessa.

Criar raízes muito profundas em um lugar tem as suas armadilhas. Mas rolar pelo país como uma bola de feno pode impedi-lo de estabelecer contatos importantes e de construir a carreira necessária para ter uma base financeira sólida. Em geral, isso leva a depender, de vez em quando, de parentes e de amigos para ajudá-lo financeiramente. A estabilidade não se opõe à aventura; ao contrário, pode tornar-se a sua base. Não se trata de forças opostas, mas que podem apoiar e fortalecer uma a outra.

Crescimento na saúde financeira

Reconheça a sua inclinação para usar o dinheiro em serviço dos outros

O modo como a sua vida se orienta para suprir as necessidades de outros com o seu dinheiro é, ao mesmo tempo, inspirador e desafiador para pessoas com outras linguagens. Seus hábitos financeiros levam alguns de nós a perguntar como você consegue sobreviver sendo tão sacrificial em sua abordagem financeira. No entanto, a forma como você usa o dinheiro instiga o nosso coração ao lembrar-nos de que o dinheiro não é a fonte nem o sustentador de nossas vidas e de nossa alegria. Nós o admiramos nesse sentido; você deve assumir o seu desejo de servir ao próximo por meio das finanças. Sua maneira de lidar com dinheiro traz grande esperança à vida daqueles que mais precisam. Você nos revela a imagem de Deus, que conhece todas as nossas necessidades, antes que cheguem aos nossos lábios em oração, e deseja supri-las. Quando Deus nos sustenta, lembramos que ele está muito perto de nós. A sua provisão para o mundo ao redor tem o mesmo efeito.

Diferencie necessidades percebidas de necessidades reais

A ocasião mais memorável da vida de Arão é a anteriormente citada, quando ele e Moisés se encontraram, Moisés descendo a montanha com a Lei e Arão conduzindo um culto de adoração para um falso deus em forma de bezerro que ele inventou para manter o povo unido. O fogo da montanha irradia luz no bezerro de Arão e ilustra o seu lado obscuro: Arão preocupava-se tanto com as necessidades das pessoas, que a sua compaixão passou por cima do seu bom senso, fazendo-o usar os recursos de um jeito emocional e, por fim, instável. Além disso, os recursos foram desperdiçados. Você pode prevenir-se desse aspecto do seu lado obscuro evitando que as necessidades percebidas se confundam com as reais.

Grosso modo, quem se oporia ao valor de usar os recursos para servir aos outros? A preocupação com as necessidades alheias deveria ser de todos, especialmente das pessoas de fé. No entanto, dar às pessoas o que elas querem em vez daquilo de que precisam pode causar mais mal do que bem.

A pergunta é: como sabemos do que as pessoas realmente precisam? Não há como fornecer uma lista de eventualidades com cenários hipotéticos nos quais alguém deva atender a necessidades de certa maneira. Para responder a essa pergunta, você faria bem em considerar isto: o que a Bíblia ensina sobre a necessidade que está diante de mim? Como o meu envolvimento levará a soluções em longo prazo? Será que estou apenas prolongando os problemas reais ao remediar uma necessidade em curto prazo? O que acontecerá se eu não tomar alguma atitude quanto a essa necessidade imediata e aparente? Quem conhece bem a situação e pode esclarecer-me sobre o melhor modo de providenciar assistência financeira (ou qualquer outra)?

Geralmente, apenas atender a uma necessidade faz mais bem do que mal, mas, no caso de Arão com o bezerro de ouro, vemos que não é sempre assim. Talvez você tenha tanta consideração pelas pessoas do seu convívio, que saber o que pode ser feito *versus* o que deve ser feito para prestar caridade ou ajuda pode ser um verdadeiro tormento. Ter algumas regras gerais sobre o limite de ajuda espontânea é muito útil para preservá-lo da contribuição exagerada sempre que uma necessidade assistencial surgir. Arão amadureceu nesse aspecto. Ele aprendeu as regras da Lei acima de todas as coisas, e, depois do incidente do bezerro de ouro, não o vemos tropeçar no modo de atender às necessidades. Ele tinha limites definidos. Não é preciso endividar-se para garantir que as pessoas com quem você se importa tenham tudo de que necessitam.

Conte com pessoas que tenham as linguagens Isaque e Moisés

Você fará bem em contar com pessoas que tenham as linguagens Isaque e Moisés, as quais pensam em maximizar os recursos e em planejar o futuro. Mesmo que elas o deixem exausto por sua intensa atenção a assuntos financeiros, também serão úteis para conter a sua tendência de negligenciar seus planos para o futuro, de não pensar em gerenciar os seus recursos de modo a aproveitar ao máximo o que possui. Em seu melhor, elas não buscam denegrir a inocência ou o espírito livre tão admirável em muitas pessoas com a linguagem Arão, mas sim ajudá-las a ter uma visão mais ampla e profunda dos seus recursos, a fim de que estejam mais preparadas para as tempestades da vida e para as oportunidades futuras.

Em um mundo perfeito, talvez você administraria o dinheiro apenas o suficiente para se manter, mas a falta de planejamento financeiro para o futuro não é uma medalha de honra que demonstra a confiança em Deus. Mesmo bem-intencionado em sua inocência, você pode escorregar para a irresponsabilidade financeira e, por fim, tornar-se um fardo financeiro para pessoas com outras linguagens. Por que permitir que a sua falta de planejamento se torne um peso financeiro para outra pessoa? De que modo essa atitude servirá aos outros?

Se tiver dificuldades com o seu lado obscuro, você deve, intencionalmente, refletir e falar sobre dinheiro com aqueles que têm talento no planejamento financeiro. Supere todas as inibições e todo o ceticismo sobre finanças e encontre um parceiro financeiro de confiança que entenda os seus instintos e as suas tendências quanto a dinheiro, que consiga enxergar o seu lado obscuro de forma clara e que dê conselhos úteis, não desprezando os dons impressionantes que você proporciona ao mundo.

Precisamos de pessoas com a linguagem Arão, como você, para lembrarmos que Deus provê, que o objetivo do dinheiro é ajudar nas necessidades humanas e que a vida consiste em mais do que criar planos financeiros bem organizados. Assim como Moisés precisava de Arão, pessoas com a linguagem Arão precisam daquelas com as linguagens Moisés e Isaque em sua vida — aquelas que adquirem uma visão mais ampla por meio de uma abordagem financeira sistemática com a qual pessoas que têm a linguagem Arão podem beneficiar-se.

Questione o seu ceticismo com relação a dinheiro

Como alguém com a linguagem Arão, você tende a ser cético com aqueles que são ricos ou com organizações que possuem tremendos recursos — e deve ser, até certo ponto. Lembre-se, no entanto, de que o dinheiro é moralmente neutro. É o modo de lidar com ele e de utilizá-lo que determina se a experiência com o dinheiro é saudável ou doentia, se o uso é redentor ou destrutivo. Para crescer na saúde financeira, você precisará ver o dinheiro como um meio de liberar as suas paixões mais profundas no mundo ao seu redor. Quando você faz isso, ele se torna uma ferramenta útil, em vez de um mal necessário. Seja curioso sobre o desenvolvimento de suas finanças, a fim de poder fazer mais daquilo que sente que Deus o chamou para fazer.

ARÃO: HUMILDADE

Assim como você pode ser cético quanto à riqueza, também precisa ser cético quanto a doutrinas de pobreza. Pessoas com a linguagem Arão são algumas das vozes mais notáveis de nossa época, clamando pela total liberalidade financeira, aquelas que levam as Palavras de Jesus, na Bíblia, em um sentido literal, quando ele disse a alguém da elite abastada: "Venda tudo o que você possui e dê o dinheiro aos pobres" (Lucas 18:22). Pessoas com outras linguagens, e até aquelas com a linguagem Arão, são levadas a sentir-se culpadas se tiverem um nível expressivo de posses. Enquanto alguns de outras linguagens, em seu lado obscuro, são obcecados em dinheiro e buscam acumular grandes quantias, aqueles com a linguagem Arão podem escorregar para o outro extremo, sendo obcecados em *não* ter muitas posses.

Francisco de Assis é um exemplo de ceticismo financeiro radical. Na mentalidade do século XIII de Francisco de Assis e de seus seguidores, as propriedades eram uma barreira entre Deus e o homem.[17] Filho de um rico comerciante de tecidos, Francisco passou a juventude usando o seu acesso à abundância financeira na folia e na extravagância, festejando em suas regalias e esbanjando a riqueza material em seu conforto pessoal. Ao encontrar mendigos em Roma, e experimentando um progressivo senso pessoal de iluminação, Francisco eventualmente condenou sua riqueza. Ele convocou o seu crescente grupo de seguidores a fazer o mesmo, enquanto criticava as autoridades religiosas por suas riquezas exuberantes e por sua falta de cuidado com os pobres. Essa condenação da riqueza gerou um grande conflito entre Francisco e seu pai e, sem dúvida, o mesmo nível de ansiedade em sua alma, enquanto lutava contra o seu alto nível social à luz dos problemas do mundo.

Essa luta é, precisamente, a ocasião em que o crescimento espiritual acontece. Alguns se posicionam como Francisco em relação às riquezas —abrem mão de toda ela —, enquanto outros se colocam na posição oposta e afirmam que os filhos e as filhas de Deus têm o direito divino às riquezas. Ambos os lados usam a Bíblia para justificar suas opiniões. Ambos estão certos e errados, dependendo de quem você questiona. Em minha experiência com pessoas extremas na linguagem Arão, elas podem ser evangelísticas em seu ceticismo quanto à riqueza material e, às vezes, tentar fazer que os outros com um ponto de vista divergente se sintam culpados pelo que possuem. O que podemos aprender, aqui, é que sempre há espaço para o crescimento, seja qual for o lado em que você se encontra.

Tudo o que trouxer vergonha e culpa ao seu mundo requer um exame mais aprofundado antes de afirmar que se trata de uma convicção divina. Reconheça o seu senso de aventura e a sua generosidade no uso das finanças, não porque seja obrigado, mas porque é o seu prazer. Equilibre esse desejo com uma administração que veja o dinheiro em seu mundo como uma ferramenta para fazer a vontade de Deus, em vez de um mal necessário.

Da doação com culpa à promoção da vida: uma pessoa com a linguagem Arão aceita o seu propósito

Tudo começou com comerciais de cachorros, aqueles com uma música melodramática que acompanha os olhos dos filhotes e com um apelo à ação: contribua agora para ajudar cães abandonados e vítimas de maus-tratos. Stella telefonou para a instituição, deu o número do seu cartão de crédito, então recebeu um pacote pelo correio, agradecendo a doação e convidando-a para assumir o compromisso de fazer uma contribuição mensal, a fim de estender o auxílio a outros animais. A oportunidade era irresistível para uma pessoa com a linguagem Arão.

Posteriormente, vieram os apelos na igreja para a abertura de poços de água potável em países emergentes; esses, especialmente, tocaram o seu coração. Houve também a oportunidade anual de patrocinar a excursão do ministério infantil ao zoológico — afinal de contas, aquelas crianças precisavam ver os gorilas. Sentindo-se culpada se não apoiasse essas causas, Stella continuava a acumular recibos de doações a instituições de caridade e cartões de contribuição. Em pouco tempo, estava pagando os seus compromissos com cartões de crédito, mas, a seu ver, fazia isso pelas razões certas. Um estranho misto de prazer e culpa a acompanhava em cada apelo e em cada compromisso ou contribuição que se seguia. Stella sentia a obrigação de contribuir se quisesse ser uma boa pessoa. Mais que isso, ela amava doar a essas causas que atendiam a necessidades e que faziam a verdadeira diferença na vida de pessoas — ou de animais.

Era possível gastar o dinheiro em coisas piores. Quem discutiria com alguém que patrocina poços de água e filhotinhos? Não era o efeito do seu dinheiro no mundo que preocupava sua grande amiga Mary. Era o efeito em sua estabilidade financeira. Mary identificava-se fortemente com a linguagem Moisés, e, depois de saber do comprometimento financeiro cada vez mais frequente de Stella com as instituições de caridade, a ponto de amontoar dívidas no cartão de crédito para pagar os compromissos, Mary amorosamente se ofereceu para estabelecer um plano que fizesse a amiga tomar um rumo financeiro mais saudável.

Mary ajudou Stella a entender que mergulhar em dívidas financeiras para que pessoas (ou animais) pudessem sair de seus próprios abismos financeiros era somente trocar um problema por outro. Como uma pessoa com a linguagem Arão, Stella estava sempre pronta a sacrificar sua saúde financeira se, com isso, os outros recebessem aquilo de que precisassem. Mary enxergou a situação mais claramente e propôs um plano simples para ajudar Stella a estancar a sangria financeira e voltar a uma situação em que ela pudesse apoiar as instituições de caridade de um modo que a agradasse, sem ficar à beira de um colapso financeiro. O plano era simples: recusar apelos futuros para contribuições, pagar a dívida atual em seis meses e, depois, escolher não mais do que duas instituições de caridade para apoiar, sem exceder o total de 100 dólares por mês — a quantia que Mary e Stella concluíram que ela poderia pagar confortavelmente.

Stella ainda lutava com a culpa de não contribuir para todos os apelos, mas também começou a desfrutar do sentimento de confiança de que, agora, conseguiria dar auxílio a instituições de caridade sem descuidar das próprias necessidades financeiras. Ela está começando a aceitar os limites que sua amiga, com a linguagem Moisés, estabeleceu e a acreditar que outros como ela responderiam ao chamado, atendendo às válidas necessidades no mundo. Aprendeu a encontrar alegria ao ajudar em causas que ela podia apoiar com responsabilidade. Essa mudança de pensamento é um passo significativo em direção à liberdade no coração de Stella, um que a está ajudando a crescer em sua própria capacidade de acreditar que Deus deseja atender às necessidades ainda mais do que ela, e ele contará com outras pessoas para fazer exatamente isso.

Uma bênção
para pessoas com a linguagem **Arão**

Vemos Deus em você — em sua devoção infalível ao amor, à ajuda e ao apoio daqueles com frequência desamparados ou desprezados. Você sempre está presente quando precisamos. Às vezes, exigimos muito de você, do mesmo modo que damos por certa a bondade de Deus em nossas vidas. Mas nós o vemos com mais clareza agora, e o amamos. Sua humildade nos faz lembrar do Deus que nos ama em meio a todos os nossos contratempos e fracassos, que deseja nos unir como a galinha busca juntar os seus pintinhos sob as asas. Você é altruísta, como o Deus que sempre incentiva, nunca esperando nada em troca. Sua presença nos faz lembrar de dedicar mais atenção àqueles que frequentemente passam despercebidos; o seu coração para o órfão, para a viúva e para o pobre prega uma mensagem mais elevada do que qualquer sermão que possamos ouvir. Obrigado por nos ajudar a ter um vislumbre do Deus que carrega todos nós em seu coração, que nos ama em nossa fragilidade e que não nos abandonará.

Passagens bíblicas
para a alma **humilde**

Leia as passagens bíblicas a seguir, cada uma acompanhada de palavras para personalizar este exercício. Veja a passagem com a qual você mais se identifica. Então, leia-a calmamente em voz alta várias vezes, escreva-a e medite sobre ela até que possa memorizá-la. Pelos próximos dias, certifique-se de saber que você transmite o amor de Deus ao mundo de maneira significativa e que as Escrituras confirmam o seu modo de ser no mundo com relação aos recursos.

Posso ajudar os outros de uma forma financeiramente responsável e compassiva. A Bíblia diz que devemos ter

> [...] uma mesma atitude uns para com os outros. Não sejam orgulhosos, mas estejam dispostos a associar-se a pessoas de posição inferior. Não sejam sábios aos seus próprios olhos (Romanos 12:16).

Minha compaixão pelos outros é confirmada nas Escrituras: "Quanto ao mais, tenham todos o mesmo modo de pensar, sejam compassivos, amem-se fraternalmente, sejam misericordiosos e humildes" (1Pedro 3:8).

Posso confiar no Senhor porque sei que "Deus se opõe aos orgulhosos, mas concede graça aos humildes" (Tiago 4:6).

Perguntas para reflexão
para pessoas com a linguagem **Arão**

- Como você se sacrifica financeiramente em benefício dos outros? Como isso o faz sentir?

- Quem mais, em sua vida, tem a linguagem Arão?
- Das principais características ou histórias de Arão ou de pessoas com a linguagem Arão, com qual você mais se identificou e por quê? Como você se vê à luz dessa característica ou história?
- Você tem algum conflito financeiro com alguém? Se tiver, como a sua linguagem financeira Arão pode ter contribuição nesse conflito?
- O que você planeja fazer de diferente com o seu dinheiro, agora que entende a sua linguagem financeira Arão?
- Qual é a maior verdade que você aprendeu sobre a linguagem financeira Arão?

CAPÍTULO OITO
....
Linguagem nº 7

Davi:
Liderança

*Davi disse a Saul: "Ninguém deve ficar com
o coração abatido por causa desse filisteu;
teu servo irá e lutará com ele."*

1Samuel 17:32

Por quarenta dias, o gigante filisteu Golias foi à ofensiva e amaldiçoou o exército de Israel e o nome de Deus. O guerreiro inimigo tinha estabelecido os termos do confronto militar com Israel. "Escolham um homem para lutar comigo. Se ele puder lutar e vencer-me, nós seremos seus escravos; todavia, se eu o vencer e o puser fora de combate, vocês serão nossos escravos e nos servirão" (1Samuel 17:8-9).

Não havia ninguém que fizesse frente a Golias em habilidade e em estatura; as mãos de todos os israelitas estavam enfiadas nos bolsos, pois nenhum homem conseguia apresentar-se como voluntário para o que parecia ser uma missão suicida contra o filisteu. As opções não eram boas: enfrentar o gigante e morrer ou enviar alguém para enfrentar o gigante; ele perderia e, então, você se tornaria um escravo filisteu — isto é, você e sua família.

Quando gigantes terríveis estabelecem os termos da batalha, é como se você estivesse em um longo curso até uma colina íngreme, uma colina na qual você morrerá.

Davi — um rapaz bem jovem, corado e bonito que não tinha idade suficiente para a batalha — preparou um almoço para os irmãos, deixou o seu rebanho sob o cuidado de um pastor substituto e partiu para as linhas de frente. Ele sabia exatamente onde encontrar a sua família; o gigante abordou e insultou o exército todos os dias por mais de um mês. Davi juntou-se aos seus irmãos na linha de batalha, e, no horário de sempre, o campeão filisteu fez seus comentários maliciosos contra os compatriotas de Davi, os israelitas, e contra o seu Deus. Os homens de Israel, que estavam reunidos na linha de frente e viram Golias, fugiram com grande medo.

De volta ao agrupamento, eles conversavam entre si, talvez tentando reunir alguma confiança. "Vocês viram aquele homem? Ele veio desafiar Israel. O rei dará grandes riquezas a quem o vencer. Também lhe dará sua filha em casamento e isentará de impostos em Israel a família de seu pai" (1Samuel 17:25). Depois de ouvir os soldados israelitas repetirem os termos da recompensa, Davi disse a Saul: "Ninguém deve ficar com o coração abatido por causa desse filisteu; teu servo irá e lutará com ele" (1Samuel 17:32).

Saul tentou dissuadir Davi, que ele considerava incapaz de lutar contra Golias. Havia, afinal de contas, muita coisa em jogo se algum israelita perdesse para o filisteu; isso afetaria todo o povo de Israel, que se tornaria escravo. No entanto, Davi, mesmo sendo bem jovem, tinha um histórico de luta impressionante, que ele declarou rapidamente ao rei. O problema era que todas as suas lutas tinham sido contra animais, como leões e ursos que tentaram destruir os recursos de seu pai, as ovelhas. Mas

Davi convenceu Saul, afirmando que o Deus que o livrou das patas dos predadores também o livraria de Golias. Saul percebeu a confiança de Davi e desejou-lhe sorte contra o gigante, vestindo o rapaz com a sua própria armadura e o seu armamento.

O jovem Davi achou a armadura folgada; mais que isso, ela não o ajudava em seu estilo de luta. Davi era um atirador de pedras, não alguém acostumado a espadas. Ele largou a armadura, pegou a sua vara de pastor e apanhou cinco pedras lisas do leito seco do rio. O gigante viu-o aproximar-se e zombou dele. Davi pegou seu alforje, colocou uma pedra no estilingue e correu para a linha de batalha. Ele arremessou a pedra no gigante, cravando-a em sua testa e fazendo-o cair de cara no chão. Sem ter uma espada, Davi cortou a cabeça do gigante usando a própria espada do filisteu para fazer o trabalho.

Israel recebeu um novo herói em seu posto naquele dia, e os livros com histórias de ninar para crianças ganharam um novo capítulo. Davi derrotou Golias com um estilingue e uma pedra, e o seu legado teve início — o legado de um garoto que se tornou guerreiro, líder e, finalmente, rei.

Foi a confiança de Davi em Deus, acompanhada de sua intimidade e competência com suas armas, que o levou à vitória contra Golias. Ele investiu nos recursos à disposição, as pedras e o estilingue, para alcançar a vitória e inspirar seguidores. Como veremos, ele também estava motivado a lutar em razão dos recursos que poderia ganhar matando o inimigo. Davi liderou homens experientes, guerreiros israelitas, para a batalha contra as linhas de frente dos filisteus, não por causa de sua posição ou de seu título, mas porque ele empregou os seus recursos e a sua fé em prol de um único objetivo — derrubar aquele gigante. Esse é o trabalho da liderança, e, por todo o curso de sua vida, Davi continuamente inspirou confiança e usou os recursos para suscitar possibilidades incríveis.

Davi representa a liderança de Deus, que não recua dos terríveis inimigos, mas nos chama a permanecer firmes diante de gigantes imponentes, não importa a forma que tenham. Assim como Deus, que, de modo incontável pelas páginas da Bíblia, ajudou o seu povo a superar inimigos intransponíveis ou situações desesperadoras, Davi conduziu o povo de Deus rumo ao seu destino. Ele os fez lembrar por que suas vidas tinham importância, inspirou-os com confiança, impulsionou-os à ação e alinhou os recursos para alcançar os objetivos desejados. Os recursos, à luz de um líder de visão, e à luz de Deus, ganham importância e significado.

CRENÇA BÁSICA: o dinheiro é uma ferramenta para um novo futuro

O caminho de Davi é o da liderança. Pessoas com a linguagem Davi, com seu senso formidável de destino e sua paixão intensa, são capazes de inspirar os outros a agir, enchendo-os de confiança, assim como Davi fez quando derrotou Golias. Pessoas com a linguagem Davi são líderes em tudo o que fazem, desde a área profissional até os compromissos pessoais, da sala de reuniões aos esportes. Pessoas com qualquer linguagem podem liderar quando se trata de dinheiro, mas aquelas com o perfil de Davi têm a distinta habilidade de ver o todo. Percebem claramente por que vale a pena perseguir algo, alinhando os recursos rumo à ação.

Em posições de liderança, pessoas com a linguagem Davi despertam seguidores porque os seus objetivos são inspiradores e inclusivos; transmitem metas claras e abrem espaço para que outros os persigam com elas. As suas visões financeiras e os seus objetivos multiplicam os seguidores e o envolvimento financeiro porque elas apelam para um interesse comum, não simplesmente para uma visão ou para uma meta que promova somente a qualidade de vida do líder. Aqueles com a linguagem Davi ajudam os outros a enxergar por que vale a pena investir os recursos pessoais a fim de contribuir financeiramente para um objetivo.

Pessoas com a linguagem Davi inclinam-se para o futuro, para o que é possível. Como Davi, cuja vida revela seu forte senso de destino, pessoas com essa linguagem recusam-se a aceitar as situações como elas são, planejando um modo de efetuar ajustes incrementais. Em vez disso, elas exploram e inventam situações futuras. São célebres, grandes visionárias que passam muito mais tempo imaginando o que está a sua frente do que se concentrando no momento. Estabelecem objetivos ambiciosos para o futuro e dificilmente estão satisfeitas com a vida como ela é. Pessoas com a linguagem Davi abrem novos caminhos com frequência — sempre se inclinam para o futuro, em direção a novas possibilidades. Tendem a ser focadas de modo singular e audaciosas.

Mark Rutland é um exemplo inspirador de alguém com a linguagem Davi. Ele foi convidado a tornar-se presidente de uma faculdade teológica que estava com sérios problemas financeiros e sob o risco de perder a sua vantagem competitiva e a sua relevância. A faculdade precisava de uma transformação para não fechar as portas.

Mark possuía uma visão bem clara para o futuro da faculdade — uma visão que era, ao mesmo tempo, inquietante e inspiradora, porque parecia praticamente impossível. Ele trabalhou para transformar um *campus* em ruínas e ultrapassado, com instalações decadentes, em um espaço de formação de âmbito internacional para a próxima geração de líderes cristãos. A visão exigia milhões de dólares em melhorias e uma transformação conceitual sísmica se a faculdade quisesse recuperar a importância em um mercado de educação superior altamente competitivo e em constantes mudanças.

Não faltavam céticos, mas Mark cercou-se de uma equipe de líderes e de investidores que entendeu a sua visão, por ele transmitida em toda oportunidade que se apresentava, nas caminhadas pela cidade, em projetos e em palestras visionárias. Em poucos anos, a energia e o entusiasmo pelo futuro voltaram; o senso de oportunidade começou a crescer, então os patrocinadores investiram na educação e no treinamento da geração seguinte.

As instalações e as salas de aula ultrapassadas foram, de fato, transformadas em um *campus* extenso e de última geração, comparável a pontos turísticos internacionais. Calçadas de pedra ladeadas de palmeiras substituíram arbustos inexpressivos. A faculdade conquistou o título de universidade e mudou sua mascote, sua marca e seu estatuto, tornando-se uma das faculdades particulares de artes liberais de crescimento mais rápido e com maior atenção nos Estados Unidos. De muitas maneiras, Mark reinventou a categoria ou, pelo menos, estabeleceu um padrão para as faculdades teológicas.

Um comprovado líder capaz de angariar apoio financeiro para projetos importantes, Mark cresce diante dos desafios. Quanto maiores as apostas e mais iminente a ameaça, maior o interesse de Mark. Ele confia que, com a ajuda de Deus, tudo é possível. Alinha os recursos rumo a uma visão clara e inspiradora. Mark é um líder revolucionário e segue o exemplo de Davi.

PRINCIPAIS CARACTERÍSTICAS
de pessoas com a linguagem Davi
Motivadas pelo porquê, suscitam a ação

Podemos estar familiarizados com a história do jovem Davi correndo para a linha de batalha, armado com pedras do ribeiro. Mas sempre ignoramos uma parte do relato: antes de Davi correr para batalhar com Golias, ele *fugiu* da batalha com Golias. A passagem de 1Samuel 17:22-24 claramente descreve a cena. Davi correu para as frentes de batalha a fim de encontrar os irmãos, então Golias apareceu e todos fugiram com medo — inclusive Davi. Somente quando encontrou o seu *porquê* — isto é, a sua razão para lutar contra Golias —, ele retornou para o combate.

A narrativa traz algumas pistas sobre o motivo de Davi ter-se apresentado. O gigante zombou do nome do Deus de Israel, ele zombou dos exércitos de Israel, e a recompensa financeira por derrotar o gigante mudaria o legado da família de Davi para sempre (1Samuel 17:25). Esses fatores, combinados com a sua fé em Deus, inspiraram Davi a agir. Quando Davi descobriu o seu *porquê*, parecia não haver dúvida em sua mente sobre o que precisava fazer e de que Deus estaria com ele.

Alguém com a linguagem Davi e um forte senso de *porquê* pode tornar-se revolucionário, mobilizando as pessoas. Quando Davi descobriu o que estava em jogo financeiramente para a sua família, correu até a linha de batalha e enfrentou o seu inimigo. Quando venceu, todo o Israel venceu também. Os soldados sabiam o que estava em causa, mas ninguém havia encontrado um *porquê* forte o suficiente para sentir-se inspirado a agir. Quando Davi agiu, tudo mudou, mas não somente para ele. Algo foi liberado no coração do exército de Israel, e ele enfrentou o seu inimigo. Davi, conduzido pelo *porquê*, abriu caminho com suas ações, transformando um exército assustado em filas de soldados vitoriosos.

Aqueles que já passaram por momentos difíceis são particularmente atraídos a pessoas com a linguagem Davi, porque elas trazem reais oportunidades de mudança — elas incutem a esperança. Longe de serem como aqueles vendedores ambulantes que prometem demais e entregam de menos, pessoas com a linguagem Davi cumprem as suas promessas. Seus planos, que às vezes exigem grande fé e um alto risco, são sempre alcançáveis com a ajuda de Deus.

Líderes financeiras

Pessoas com a linguagem Davi inspiram os outros a investir em projetos ou em oportunidades importantes. Vamos desenrolar essa história em outro momento, mas é importante reconhecer que a Bíblia nos mostra que Davi foi o principal arrecadador de fundos para o templo de Salomão — um projeto gigantesco e caro que alguns especulam que custaria bilhões de dólares na economia de hoje. Suas habilidades tornavam-no o candidato mais indicado para levar o povo ao engajamento financeiro em um empreendimento monumental como aquele.

Pessoas assim são capazes de lançar uma visão ampla o bastante para que seguidores encontrem sentido nela, assumindo compromissos pessoais para alcançá-la, pois veem potencial no futuro para o qual a liderança os convoca. Naquele caso, eles entenderam que o templo serviria a Deus e ao povo de Deus em adoração. Pessoas com a linguagem Davi ajudam outros a perceberem por que a contribuição financeira rumo a um objetivo compensa o sacrifício pessoal.

Quando angariam fundos, elas costumam ser as primeiras a investir o próprio dinheiro no projeto. Aprendi essa lição valiosa com Lauren.

"Por que você não me pediu para ser a primeira pessoa a fazer uma contribuição para esse projeto?", ela perguntou enquanto eu apanhava minhas coisas para sair do seu escritório. Tínhamos passado uma hora em busca de ideias criativas para arrecadar fundos a fim de reformar um dos saguões do edifício da igreja, tornando-o mais acolhedor para famílias com crianças pequenas. Seria caro levá-lo a feito. Eu sabia que Lauren tinha o coração na próxima geração, mesmo com os filhos já crescidos, saídos de casa há muito tempo. Eu estava em busca de suas ideias sobre arrecadação de fundos porque ela tinha experiência na área, não porque quisesse o seu dinheiro.

Respondi: "Porque hoje eu não estou aqui para levantar fundos. Só queria discutir algumas ideias sobre o modo de financiar o projeto".

Lauren deu-me uma lição valiosa: "Deus dotou algumas pessoas do desejo e da habilidade de inspirar os outros a contribuir substancialmente para um projeto e de fazer o mesmo. Se você tiver uma visão envolvente, as pessoas sentirão empatia. Você passou a última hora imaginando o que é possível para a próxima geração, e eu quero participar. Avise-me quando você descobrir como posso ajudar. Falando nisso, a chave para o sucesso na arrecadação de fundos é ser, você próprio, generoso. Nunca se esqueça disso". Recebi tanta sabedoria naquela conversa, que nunca esquecerei.

Como líderes financeiras, pessoas com a linguagem Davi não apenas se sentem à vontade para contribuir financeiramente, como também aguardam ansiosamente essa oportunidade se o projeto for importante. Na verdade, geralmente querem estar na linha de frente, estabelecendo a base financeira para um projeto que os outros possam desenvolver, inspirando-os a contribuir financeiramente para tal.

Pessoas com a linguagem Davi prosperam pela emoção de atuar como líderes financeiras ou de estar à frente de uma nova ideia ou de um novo projeto. Têm muita satisfação em saber que foram parte de algo importante que mobilizou a participação de outros.

Os projetos de arrecadação de fundos mais bem-sucedidos costumam ter doadores principais ou líderes que contribuem amplamente, mesmo antes de sua divulgação, a fim de que haja um impulso inicial. Essa contribuição, então, atrai outros para a mesa. Pessoas com a linguagem Davi geralmente entram em cena nesses casos, vendo potencial e oportunidade em um projeto que inspira a sua mente e o seu coração, mesmo antes de muitos outros saberem que o projeto ou a oportunidade existe. Se elas não se sentirem inspiradas a contribuir, dirão claramente. Em compensação, quando sentem empatia, são um dos maiores recursos para o êxito do projeto.

Compartilham os despojos

Pessoas com a linguagem Davi são líderes financeiras justas. Quando alcançam o sucesso, nunca centralizam o mérito ou o ganho financeiro em si mesmas. Dispõem-se a agradecer a Deus e aos parceiros no projeto, e todos repartem os despojos. São confiáveis em compartilhar os ganhos financeiros com as equipes e nunca exploram os membros da equipe, nem tiram vantagem para o próprio bem-estar financeiro.

Vemos essa característica manifestar-se na vida de Davi quando os amalequitas saquearam Ziclague, levando tudo o que estava no acampamento, incluindo mulheres e crianças. Os homens de Davi choraram até ficar exaustos; estavam tão transtornados emocionalmente que pensaram em apedrejar Davi de imediato. Mas Davi buscou forças no Senhor e perguntou a Abiatar, o sacerdote, o que devia fazer, então decidiu perseguir o bando de saqueadores amalequitas. Cansados e incapazes de continuar com Davi e muitos dos homens, duzentos dos seus companheiros pararam no ribeiro de Besor; outros quatrocentos continuaram nos esforços de busca e resgate, com Davi na liderança. Ao obterem de um escravo dos amalequitas, que havia sido abandonado, uma pista sobre o paradeiro do exército, Davi e seus homens atacaram os saqueadores, recuperaram o despojo e resgataram as suas esposas e os seus filhos.

Ao voltarem a Ziclague, Davi e os homens vitoriosos reuniram-se aos duzentos que não cruzaram o ribeiro. No entanto, nem todos os que acompanharam Davi na batalha ficaram contentes de ver os duzentos que não lutaram. Alguns dentre os guerreiros vitoriosos se manifestaram, dizendo: "Uma vez que não saíram conosco, não repartiremos com eles os bens que recuperamos. No entanto, cada um poderá pegar sua mulher e seus filhos e partir" (1Samuel 30:22). Davi, porém, anunciou que os homens que permaneceram com a bagagem do exército teriam parte no despojo, e, a partir daquele dia, estabeleceu-se o princípio da distribuição igualitária entre os guerreiros.

Pessoas com a linguagem Davi reconhecem a responsabilidade de manter a igualdade, ou o senso de imparcialidade e de recompensa, entre os seus seguidores. Em vez de o presidente acumular todo o lucro do sucesso da empresa após um ano excepcional, pessoas com a linguagem Davi garantem que aqueles que contribuíram para o sucesso tenham uma parte da recompensa.

Como reconhecem que a vitória vem do Senhor, elas se dispõem a distribuir os lucros financeiros entre as pessoas. Por essa razão, entre muitos outros, os seguidores de Davi desdobraram-se muito para garantir que ele fosse bem-sucedido; eles sabiam que o sucesso de Davi contribuiria para o seu próprio êxito.

O executivo Don Flow criou uma empresa de sucesso baseada nesse princípio de igualdade. Filho do dono de uma concessionária de automóveis, Flow herdou o negócio da família e administrou uma empresa que hoje emprega mais de mil colaboradores em mais de trinta franquias nos Estados da Carolina do Norte e da Virgínia. Toda profissão carrega os seus estereótipos, justos ou injustos; concessionárias e vendedores de carros não são conhecidos, geralmente, por sua ética e imparcialidade nas negociações. A empresa de Flow acredita que essa tendência pode mudar.

Flow esforça-se para criar uma sólida cultura de justiça em três esferas de influência: clientes, colaboradores e comunidade. Para os clientes, a empresa de Flow aumenta intencionalmente o nível de transparência em relação a cada negócio, de modo que, nas palavras de Flow, isso possa estar de acordo com o livro de Provérbios, segundo o qual não se devem explorar os que são vulneráveis. Além disso, limita as margens de lucro, sem considerar o quanto o cliente desinformado estaria disposto a pagar. A empresa também dá a cada empregado 3 mil dólares ao ano, por cada filho, para as mensalidades da faculdade. Para completar, ela fornece um fundo de emergência, na forma de subsídio, para ajudar os colaboradores em momentos difíceis. Na comunidade, a empresa de Flow está à frente de inúmeros projetos de arrecadação de fundos e, também, paga aos empregados que estejam envolvidos em esforços voluntários na cidade — o que é visto como um investimento na empresa, cujo objetivo é investir na comunidade.

Flow acredita que a liderança financeira deve resultar na vida próspera de seus seguidores. A administração financeira adequada, evidente quando alguém com a linguagem Davi está à frente, mantém um senso de equidade que transforma os ambientes, daquilo que são ao que deveriam ser. Obviamente, isso exige mais que o esforço individual de um líder carismático e os seus recursos — requer um esforço coletivo de alinhamento dos esforços e dos recursos financeiros na direção de uma visão que transcende um interesse pessoal e as ações convencionais.[18] Por essa razão, Flow é convidado com frequência a participar de comitês e de projetos na comunidade, usando sua influência na linguagem Davi e seus recursos para mobilizar os outros e direcionar a participação em causas nobres.

Frequentemente desmerecidas

As circunstâncias e a história da vida de Davi enchem de coragem os corações oprimidos. Ele inspira aqueles que estão em busca de mudança financeira, aqueles que desejam melhorar a situação econômica, a fim de não recuar diante de um desafio apenas porque o fracasso parece mais provável.

Ninguém se importaria se Davi escolhesse aleatoriamente uma briga com algum valentão da fila de filisteus e o vencesse. As circunstâncias que o rodeavam e as motivações que alimentavam a sua confiança são os fatores que tornam aquela luta em particular interessante. Ignorado por seu pai quando o profeta Samuel veio ungir o próximo rei de Israel, desprezado pelos irmãos quando chegou ao campo de batalha carregando as provisões de casa e expressando interesse na luta, Davi nunca foi o primeiro na "lista dos irmãos com mais chance de sucesso". Os leitores podem ter a sensação de que Davi frequentemente se perguntava: "O que fiz agora? Será que não posso nem mesmo conversar?" (veja 1Samuel 17:29).

O conceito bíblico de *ultimogenitura* é uma palavra nobre que expressa um simples, mas poderoso, tema da Bíblia, podendo ajudar alguns leitores a entender por que se identificam tanto com Davi. Basicamente, a *ultimogenitura* implica um irmão mais novo, aquele que não deveria destacar-se, recebendo a graça, a herança, a seleção ou, ainda, prevalecendo em um momento no qual um irmão mais velho seria a escolha aparente ou o provável vencedor. No caso, Davi era um irmão mais novo que foi escolhido como rei de Israel, que se tornou vencedor e herói na batalha e que ascendeu à notoriedade. Esse também foi o caso de Isaque, Jacó, José e muitos outros. Até mesmo Israel, como povo, é visto como a menina dos olhos de Deus, o povo pouco valorizado que enfrentou desafios impossíveis e, ainda assim, de algum modo, obteve sucesso nos momentos em que confiou no Senhor. Amamos ver o desprezado ganhar, e a Bíblia aprecia mostrar que isso acontece quando Deus opera.

Davi é o perfeito coitado por causa de sua altura e de sua posição — ele é muito pequeno para caber na armadura de Saul, e seu pai não o apresenta a Samuel como opção válida para próximo rei de Israel. Davi, em todos os aspectos, não tinha as qualidades necessárias — pequeno demais, jovem demais, incômodo demais para os irmãos e o que mais quiser que seja. Aparentemente, Davi não entendeu a mensagem de que era desqualificado para a batalha. Ele tinha enfrentado com sucesso animais selvagens enquanto protegia as ovelhas de seu pai. Deus poupou e capacitou Davi naquele momento, e ele creu que Deus certamente agiria da mesma maneira agora. A história de Davi ensina que quando os desmerecidos enfrentam obstáculos aparentemente intransponíveis, se houver uma visão clara do futuro, uma forte motivação e a confiança em Deus, nada é impossível.

Desejam deixar um legado financeiro para a próxima geração

A próxima geração continua sendo a prioridade máxima para pessoas com a linguagem Davi; assim, enquanto perseguem seus objetivos, estão sempre se voltando para a geração mais jovem e trazendo-a para perto. Elas podem ter origem humilde, sendo, talvez, muito ignoradas e pouco providas pelos padrões da maioria. No entanto, ou alguém lhes deu uma oportunidade de sucesso ou elas venceram os obstáculos e conquistaram o ponto mais alto. Desse modo, pessoas com a linguagem Davi passam adiante o que têm, garantindo que a próxima geração não comece do zero financeiro. A verdadeira liderança deixa um legado que sirva de base para os que virão. Pessoas assim prepararam a geração seguinte para o sucesso financeiro.

Meu amigo John, que está lá pelos 60 anos e tende a ser alguém com a linguagem Davi, levou-me, certo dia, para tomarmos café. "Você já deve ter percebido que eu vou morrer, não é?", ele começou. John parecia ter a boa forma de sempre. Temi que ele tivesse recebido alguma má notícia do seu médico.

"John, o que está acontecendo?"

"Nada", ele respondeu. "Eu morrerei; você morrerá; aquele bebê lá na esquina, na cadeirinha, morrerá. É assim que acontece. Mas eu tenho esta pergunta — qual é o tamanho dos seus sonhos? E como nós preparamos a próxima geração para alcançá-los? Se buscarmos somente as nossas melhores ideias, e não os sonhos de Deus para esta cidade, a próxima geração não se identificará com elas. Seremos como um time de futebol americano que passa por todas as etapas até a final e atira a bola para o lado errado, forçando a geração seguinte a recuperar a bola e avançar novamente. Faremos progresso, mas o perderemos, a menos que criemos a próxima geração para buscar os sonhos de Deus para esta cidade."

John investe no que acredita. Ele está envolvido financeiramente em projetos de nossa cidade que capacitam a nova geração de líderes civis e religiosos para o sucesso. Tendo trilhado uma carreira de sucesso profissional, o que incluiu pastorear uma igreja, liderar uma escola cristã, participar de todos os comitês ou conselhos cívicos imagináveis e, finalmente, tornar-se o prefeito da cidade, sua visão para o futuro é mais clara do que nunca. Sua única esperança é viver o bastante para ver os sonhos do seu coração concretizados. Até que se tornem realidade, ele passa os dias investindo em líderes jovens, para que possam atravessar a linha com a bola na mão.

Vemos essa mesma vontade, de preparar a próxima geração para vencer, na vida de Davi. Ele disse a Salomão:

> Meu filho, eu tinha no coração o propósito de construir um templo em honra ao nome do Senhor, o meu Deus. Mas veio a mim esta palavra do Senhor: "Você [...] não construirá um templo em honra ao meu nome [...] Mas você terá um filho [...] É ele que vai construir um templo em honra ao meu nome" (1Crônicas 22:7-10).

Existia um sonho final no coração de Davi. Ele tinha matado o leão e o urso, o gigante e os exércitos inimigos, evitou tentativas de assassinato de amigos e de inimigos e, agora, perto do final da vida, desejava descansar. Mais que isso, queria um lugar de descanso para a arca que simbolizava a aliança de Deus com o povo. Davi levou o povo o mais longe que pôde, mas, como o seu sonho estava atrelado à história que Deus sempre desenvolve na terra, ele nunca descansaria antes de assegurar que tudo seria feito. Os sonhos de Davi nunca foram só dele, mas eram os sonhos de Deus, e Deus participou da sua realização. Os sonhos de Deus, no entanto, são sempre maiores do que o nosso tempo de vida, maiores do que qualquer pessoa pode indagar ou imaginar. Davi percebeu que a sua vida estava terminando, mas os sonhos de Deus estavam sempre em curso.

Davi sabia que Salomão não estava preparado para construir o templo. Entendendo claramente esse desafio, pensou consigo mesmo:

> Meu filho Salomão é jovem e inexperiente, e o templo que será construído para o Senhor deve ser extraordinariamente magnífico, famoso e cheio de esplendor à vista de todas as nações. Por isso deixarei tudo preparado para a construção (1Crônicas 22:5).

A lista de materiais de construção que Davi fez era impressionante e incluía um milhão de talentos de prata e "mais bronze do que se podia pesar" (1Crônicas 22:3). Em resumo, Davi desdobrou-se e não poupou nenhuma despesa pessoal para trazer os materiais ao local da obra. Alavancou todos os relacionamentos que tinha e pediu a todos os corações dispostos uma oferta espontânea ao Senhor; então, tudo o que era necessário para o início da obra estava pronto, e com antecedência.

Davi não se limitou a fornecer os materiais para que o filho construísse o templo. Ele preparou a estrutura política a fim de que Salomão se estabelecesse. Davi ordenou aos seus oficiais que seguissem a liderança de Salomão a cada passo. Explicou que Salomão não tinha experiência — todo mundo sabia disso, e Davi desafiou a mente de todos, colocando Salomão como o aparente herdeiro do trono davídico, a pessoa ungida e escolhida pela própria mão de Deus. Davi sabia que Salomão enfrentaria desafios intransponíveis, seguindo os passos de um líder militar e político tão famoso e bem-sucedido como ele. Para Davi, a única maneira de Deus ser glorificado por meio da construção do templo seria preparando a próxima geração de líderes para a vitória, providenciando tudo de que ela precisasse para cumprir a tarefa e, depois, afastando-se do caminho.

Até os dias de hoje, as pessoas referem-se ao templo como o templo de Salomão, não como o templo de Davi. Na verdade, Davi desenvolveu o plano até um passo da linha de chegada; Salomão deu o passo final. Salomão recebe o crédito pelo templo; Davi fez o trabalho mais pesado. A questão, no entanto, é bem explicada por Davi — o mérito pelo templo pertencia a Deus. Deus não precisava de uma casa, mas o templo serviria como um meio de o povo se relacionar mais intimamente com Deus, como um meio de os seus observadores perceberem o temor e a admiração do povo de Israel pelo seu Deus. Mesmo que as estruturas tivessem o potencial de transferir a atenção das pessoas da adoração para a construção, e não para a face de

Deus, a motivação para a construção do templo, como registrado na Bíblia, parecia direcionada para a glória de Deus.

Quando chegou o momento de prosseguir com o projeto, Davi fez um apelo ao povo:

> Agora, quem hoje está disposto a ofertar dádivas ao Senhor? [...] O povo alegrou-se diante da atitude de seus líderes, pois fizeram essas ofertas voluntariamente e de coração íntegro ao Senhor. E o rei Davi também encheu-se de alegria (1Crônicas 29:5,9).

Nada traz tanta satisfação ao coração de uma pessoa com a linguagem Davi como ver a próxima geração bem-sucedida para a glória de Deus. O legado de Deus, não o legado daquele com a linguagem Davi, é o que permite ao coração dessa pessoa alegrar-se *imensamente*.

Salomão terminou de construir o templo. Os cronistas afirmam que Salomão tornou-se grande aos olhos de todo o Israel, e nenhum rei antes dele teve a mesma majestade (1Crônicas 29:25). O parágrafo seguinte relembra que Davi morreu bem avançado em idade e que o filho Salomão reinou em seu lugar. Davi teve sucesso como líder porque o seu sucessor foi preparado para a vitória, e a sua maneira de lidar com o dinheiro tornou isso possível.

Pessoas com a linguagem Davi, bem antes de saírem de cena, deixam um legado financeiro que transcende o montante conferido aos herdeiros em fundos fiduciários ou em heranças. Antes de mais nada, o legado é de uma mulher ou de um homem que honra o Senhor e que busca o renome e a glória de Deus acima dos seus. Então, como Deus é o primeiro no coração de uma pessoa com a linguagem Davi, seus recursos são dedicados à obra do Senhor na terra, preparando a próxima geração com os meios necessários para que leve adiante a visão. Pessoas com a linguagem Davi sempre lembram que Deus as levantou, e que um dia irão pelo caminho de toda a terra e deixarão tudo nas mãos de outra pessoa, por isso assumem as dificuldades e a inexperiência da próxima geração, entregam os planos e pedem que ela escute o que Deus deseja fazer nela e por meio dela agora.

LADO OBSCURO: egoísmo

O egoísmo, lado obscuro da liderança de uma pessoa com a linguagem Davi, é a antítese do que atraiu tantas pessoas ao rei altruísta conhecido por marchar à frente do seu exército para a batalha. Quando a liderança se torna ruim, utiliza-se do carisma e da influência para adquirir recursos a fim de satisfazer os próprios interesses, humanos ou materiais. Em sua melhor condição, a liderança de alguém com a linguagem Davi nunca combinaria os termos "recursos" e "humanos", porque os seres humanos são mais do que recursos; eles são a imagem de Deus. Aqueles com essa linguagem, quando dão lugar ao seu lado obscuro, desvalorizam as pessoas pelas quais, de outro modo, dariam a própria vida.

Em seu extremo, pessoas com a linguagem Davi podem concentrar-se tanto no que querem — naquilo que não têm agora e desejam ter no futuro —, que ignoram (ou passam por cima) relacionamentos importantes, dos amigos, da família etc. Como são orientadas para o futuro, podem perder de vista a bondade da vida como ela é.

Uso egoísta de pessoas e de recursos

Os leitores devem recordar as várias façanhas de Davi, das quais se destaca a ocasião em que ele ficou em casa, quando os reis tradicionalmente vão para a batalha, e dormiu com a esposa de outro homem. Do conforto do seu quarto, ele pôs os olhos em Bate-Seba, uma bela moça que tomava banho. Sua beleza incitou o rei a pedir aos seus criados que a trouxessem até ele. Como resultado dessa união, ela ficou grávida. Davi ordenou que o marido dela, Urias (oficial do seu exército), retornasse para casa a fim de que a gravidez parecesse feito dele, não de Davi. Quando o marido dela demonstrou mais caráter do que o rei, dormindo ao relento em solidariedade aos seus companheiros, que ainda se encontravam no campo de batalha, Davi ordenou que o comandante o colocasse na linha de frente da batalha, onde ele foi morto.

Pessoas com a linguagem Davi, quando dão lugar ao seu lado obscuro, tornam-se egoístas e egocêntricas, até mesmo fazendo mal aos outros para conseguir o que desejam. Como mencionado anteriormente, muitas dessas pessoas têm histórico de ascensão social, e, conquistando ou não um nível expressivo de riqueza, são daquele tipo que sempre luta por um futuro tão claro em sua mente, que poderia ser praticamente tocado. Elas são incansáveis rumo ao sucesso porque se lembram de onde vieram e querem transformar o seu futuro financeiro. Talvez tenham medo de perder o controle, de serem passadas para trás por causa de uma promoção ou de perder a importância. Talvez tenham um medo profundo de passar por um golpe muito grande em sua estabilidade financeira.

Seja qual for a motivação, pessoas com essa linguagem farão de tudo para garantir que não fracassem, que tenham o que querem. Como o seu sucesso é parte significativa da sua identidade, elas interpretam o fracasso, particularmente o financeiro, como uma derrota pessoal, como se *elas* fossem um fracasso.

Uma pessoa com a linguagem Davi que conheci voltou-se para o seu lado obscuro quando permitiu que a sua posição ou a sua influência financeira encobrisse o seu juízo. Ela ergueu sua base financeira do zero para milhões de dólares, perdeu tudo (várias vezes, pois pedia empréstimos agressivos para financiar investimentos arriscados) e reconstruiu seu portfólio para um nível insondável de riqueza. Enquanto esperávamos que os mecânicos trocassem o óleo de seu carro, a conversa mudou para o envolvimento de sua igreja com uma organização que construía escolas em países de terceiro mundo. Ela lamentou:

"A igreja está sempre me pedindo dinheiro. Se não estivessem sempre tentando resolver todos os problemas do mundo, poderiam prestar atenção na comunidade e realmente fazer algo útil por aqui". Talvez ela tivesse razão. A igreja, grande e influente ao mesmo tempo, tinha a tendência de escolher a dedo causas internacionais para *sentir-se bem*, promovendo viagens missionárias de curto prazo para entregar artigos de primeira necessidade e tirar muitas fotos para mostrar aos domingos.

Como ela era uma executiva experiente, as táticas de *marketing* da igreja não a impressionavam. No entanto, o que ela disse em seguida foi chocante.

"A razão pela qual esse país, no qual estamos construindo uma escola, está no buraco é porque seus líderes tiram proveito deles. Outros países aproveitam-se deles. Se o nosso país quiser continuar por cima, *teremos que explorá-los*. Precisamos extrair o petróleo deles, não construir uma escola. Eles apenas jogarão o dinheiro que enviamos no lixo!" (Imagine a surpresa, o constrangimento e a minha luta para saber o que responder.) Ela deixou que a sua influência e a sua riqueza distorcessem o seu pensamento; o poder corrompeu o seu senso de moralidade, de responsabilidade e do ridículo. Ela se tornou egocêntrica e egoísta.

Tendência ao comodismo

Embora pessoas com a linguagem Davi sejam orientadas para o futuro, quando elas têm sucesso, correm o risco de ficar extremamente acomodadas. Podem passar muito tempo fazendo um balanço do próprio sucesso; podem acomodar-se. Em 1Crônicas 21:1, registra-se que Satanás incitou Davi a fazer um censo e contar os filhos de Israel. Essa questão desagradou ao Senhor, e isso causou grande prejuízo ao povo de Israel. Apesar de Davi ter-se arrependido, muitos perderam a vida quando o seu líder optou por contar o povo de Israel. No contexto, o narrador não aponta a motivação dessa contagem, nem diz por que isso desagradou ao Senhor. Mas podemos deduzir que numerar indivíduos transforma pessoas em dados, deixando-se de confiar no Senhor para confiar no número de pessoas à disposição a fim de proporcionar sucesso contínuo e segurança.

Pessoas com a linguagem Davi estão em seu melhor quando seguem o Senhor e trabalham em prol do Reino de Deus, não quando terceirizam o trabalho, nem, com certeza, quando ficam contando pessoas (ou dinheiro) enquanto deveriam liderar o povo. O momento mais perigoso na vida de um líder apresenta-se logo depois de uma vitória expressiva. Quando pessoas com a linguagem Davi se acomodam em suas conquistas, devem buscar a maneira pela qual o Senhor deseja que se envolvam com o próximo, como podem preparar a próxima geração para a vitória, em vez de simplesmente desfrutar do conforto proporcionado por suas conquistas anteriores.

Crescimento na saúde financeira
Reconheça o seu desejo de usar o dinheiro para levar a um novo futuro

Você está sempre avançando, buscando a próxima fronteira ou um novo empreendimento, e acredita que o dinheiro é uma ferramenta para ajudá-lo a alcançar possibilidades inspiradoras. Você é um pioneiro, e isso intimida algumas pessoas. É fácil para outros criticar as suas motivações, rotulá-lo como extremamente ambicioso e interesseiro. Eles não entendem o seu coração. Lembre-se: os irmãos de Davi o criticaram e o pai dele ignorou completamente o seu potencial. No entanto, Davi apegou-se ao sentimento de que, com Deus, tudo é possível. Verdadeiros líderes, como aqueles com a linguagem Davi, não se acham tão importantes. A visão é o que importa; o futuro que os faz continuar, e eles usarão o dinheiro para criar e financiar essas possibilidades.

Davi, de fato, teve uma vida solitária, mesmo sendo rodeado por aqueles que liderava. Raramente as pessoas que o observam vão entendê-lo totalmente, porque você está sempre à frente do seu tempo; elas podem vir a entender a sua visão, mas, quando o fizerem, você já estará contemplando o que vem a seguir. Este é o preço pessoal da liderança — você sempre está à frente, e isso pode ser, às vezes, uma existência solitária, mesmo que apenas interiormente.

Dizem que Deus nos ama como somos, mas se recusa a deixar-nos da mesma forma. Se há verdade nisso, é porque Deus vê o que é possível — ele é o Deus dos vivos, do presente, mas continuamente leva os seus seguidores rumo a um futuro redentor. É assim que vemos Deus em você; você nos faz lembrar do Senhor, que nos inspira com o nosso potencial.

Use o seu dinheiro para atingir os sonhos que Deus colocou em seu coração; recuse-se a aceitar o que é quando você sabe o que pode ser. Sua liderança financeira consiste em algo maior do que a sua própria vida, e, compreendendo ou não a sua visão desde o início, precisamos que você continue a incentivar-nos. Reconheça o seu desejo de chegar a um novo futuro por meio do dinheiro.

Concentre-se no legado

Lembre-se: foi Deus quem o capacitou na liderança financeira e o levantou. Você gostaria de ser parceiro da obra do Senhor na vida de alguém e erguê-lo? Como vai preparar a próxima geração para a estabilidade financeira e para a vitória? Faça isso deixando mais do que uma herança financeira; deixe um legado. Deliberadamente, procure pessoas nas quais você possa investir as suas energias, construindo, assim, uma plataforma na qual elas fiquem mais altas e vejam mais longe.

Mantenha o seu porquê *claro e em foco*

Esclareça seus objetivos financeiros e, o mais importante, por que eles o interessam. Desse modo, quando conseguir alcançá-los, não cairá na armadilha de atribuir todo o sucesso a si mesmo e transmitirá uma visão ampla o suficiente para que outros se juntem a você. Você é um líder forte e tem o potencial de alcançar os seus objetivos. Se não mantiver uma clara perspectiva da sua motivação, é mais provável que centralize a busca e o objetivo em si mesmo. Aliás, o seu *porquê* é o combustível que leva a sua paixão ao sucesso. Continue sendo claro em suas intenções e naquilo que faz. Se for útil, faça uma lista clara do *porquê* relacionado a cada objetivo. Releia-a sempre, então encontrará inspiração para perseverar e para limitar as chances de desviar-se da missão.

Estabeleça os seus limites; guarde-os cuidadosamente

Sua liderança e sua influência com o dinheiro abrirão todos os tipos de portas de oportunidade. Tenha cuidado com aquelas pelas quais você vai entrar. Você precisa estabelecer limites claros e que não ultrapassará quando se tratar de dinheiro, os quais também vão protegê-lo daqueles que buscam tirar vantagem de você. Algumas empresas decidiram permanecer fechadas um dia por semana para conceder aos empregados um período de descanso e adoração; outras continuam firmes em políticas corporativas que protestam contra a cultura prevalecente.

Quais são os seus limites financeiros? Davi estabeleceu regras justas para as suas tropas quando elas voltaram da batalha, repartindo o despojo com todo o exército, não somente com aqueles que participaram ativamente da batalha. Don Flow criou uma política de benefícios para os empregados que incluía um fundo para a faculdade. Existem certas coisas que você faria, e não faria, com o dinheiro? Você sempre doará um percentual para as instituições de caridade? Sempre procurará ajudar um universitário por ano? Se você não conhece os seus limites financeiros, é improvável que eles preservem o seu caráter quando você mais precisar deles. É mais provável que, ao obter sucesso, você não divida o sucesso financeiro com os outros, porque não estabeleceu suas políticas financeiras pessoais antecipadamente.

Decida agora se proteger do egoísmo pela generosidade

Em seu melhor, pessoas com a linguagem Davi concentram-se em deixar um legado e formar a próxima geração. Em seu pior, são tentadas pelo seu egoísmo a acumular os lucros ou a acomodar-se. Pessoas assim podem perder isso de vista e fazer esforços financeiros visando apenas aos próprios interesses. Quando sua influência predominar sobre a de outros do ponto de vista financeiro, articule claramente os limites e as oportunidades de sucesso partilhado, para que o considerem responsável. Deixe clara a visão, a fim de que se juntem a você em direção ao futuro desejado. Desse modo, será mais difícil acomodar-se em suas conquistas enquanto os outros vão à batalha em seu favor, e isso impede que você explore as pessoas financeiramente.

Lembre-se de que você não é o que ganha

Tenha o cuidado de não confundir o sucesso financeiro com o pessoal, seja ao começar uma nova empresa que traga grandes lucros, seja ao alcançar cedo o seu objetivo de aposentadoria. Você não é o que ganha. Você não se resume ao seu sucesso. Os objetivos devem surgir do seu coração e do senso de destino; no entanto, eles devem permanecer bem distantes da essência do seu ser. Você precisa ver os objetivos em separado do seu mais profundo senso de si mesmo.

Embora seja difícil para alguns imaginar, não é incomum que pessoas com a linguagem Davi estabeleçam um objetivo financeiro elevado, alcancem-no cedo e, depois, estabeleçam outro ainda maior. Se o objetivo era ter um patrimônio líquido de 9 milhões de dólares na idade de 38 anos, e o alcançam com 35, simplesmente elevam o objetivo e continuam na luta. De certo modo, pessoas com a linguagem Davi apreciam a busca do objetivo, não propriamente o objetivo.

Sendo alguém com a linguagem Davi, quando você terá o suficiente? Você tem um valor líquido em mente que, quando alcançado, será o suficiente, ou uma data de aposentadoria definida claramente? Considere a última vez em que se sentiu realmente satisfeito. Será que isso é difícil? Se for, talvez seja porque você passe tanto tempo vivendo no futuro, que abre mão da oportunidade de estar satisfeito no presente. Como uma pessoa com a linguagem Isaque, eu sempre me pergunto: "O que está errado?" ou "Como isso pode ser melhorado?" Sou motivado por um senso de que as coisas podem ser melhoradas ou maximizadas. Como uma pessoa com a linguagem Davi, você provavelmente indaga: "O que está faltando?" ou "O que vem pela frente?" Motiva-se pela sensação de que algo está faltando, de que algo mais seja possível. Olhe ao redor — você tem muito a agradecer neste exato momento. As oportunidades para agradecer são infinitas.

Da obrigação ao deleite: uma pessoa com a linguagem Davi aceita o seu propósito

Carl tem uma mente brilhante para ganhar muito dinheiro. "Eu nunca esquecerei o primeiro ano em que ganhei 100 mil dólares", ele me disse. "Achei que era o rei do mundo. Naquela época, essa quantia de dinheiro valia mais do que nos dias de hoje. Depois, eu estabeleci o objetivo de ganhar, em cinco anos, 500 mil dólares por ano, e, quando ultrapassei essa marca, o objetivo passou a ser de 1 milhão. Eu consegui. Atingi os objetivos." Quando acabou de dizer isso, uma enfermeira entrou na sala, interrompendo o nosso diálogo.

"Senhor Jenkins, está na hora do almoço. Vou reclinar a sua cama para que você possa comer." Carl deu um sorriso forçado sem falar nada. Ele não gostava de receber ajuda de ninguém. Sempre fazia tudo sozinho do seu típico modo carismático.

"Quando eu receber alta, trarei minha esposa de volta para cá às sextas de manhã. O frango grelhado e o purê de batatas estão maravilhosos!" Ele virou a cabeça para a enfermeira. "Vocês todos fazem reservas?"

Carl receberia alta em breve, então levaria com ele uma nova dieta, um plano de exercícios e uma pequena cicatriz onde o cirurgião realizou a cirurgia cardíaca. Mais do que isso, ele levaria uma diretriz renovada para a vida e o dinheiro. O ataque cardíaco dele quase liberou o pagamento do seguro de vida para a esposa. Ele sabia que escapou por pouco.

"Construir o meu próprio império não é tão importante para mim como era antes. Quero fazer algo que valha a pena", ele confessou com sinceridade. Passamos a manhã juntos, conversando sobre o que era importante e por que isso fazia a diferença. Carl sabia que precisava colocar as coisas em ordem; o seu ritmo estava fora de controle. Ele estava sempre se antecipando, o que ele apreciava até certo ponto, mas isso o estava desgastando no processo. O contratempo na saúde chamou a sua atenção para tal.

Enquanto conversávamos sobre as características da linguagem financeira Davi, era extremamente importante que, em vez de reprimir o seu desejo de usar o dinheiro para proporcionar novas possibilidades, nós o esclarecêssemos e o colocássemos em perspectiva. Ele cresceu tão acostumado a ter sucesso em todos os projetos financeiros, que confundiu sucesso financeiro com sentido financeiro. Agora, o foco dele mudou *daquilo que é mais lucrativo para aquilo em que o dinheiro pode causar o maior impacto*. Ele ainda tinha muitos anos pela frente no odômetro de sua vida, então queria que os próximos 20 anos valessem a pena.

Passamos algum tempo revendo o *porquê* dele, o que levou a um foco renovado, a um senso de entusiasmo e ao compromisso de voltar a atenção somente a oportunidades que se alinhassem com ele. Carl não precisava de mais dinheiro; ele precisava reconectar-se com o motivo pelo qual o dinheiro tinha importância, então criou três limites que deixaram as oportunidades erradas de fora e acolheram as corretas:

- A oportunidade parece divertida para mim?
- A oportunidade exigirá que eu abra mão dos meus valores e da minha saúde de algum modo?
- A oportunidade faz alguma diferença na vida da minha equipe, da minha comunidade e da próxima geração?

Atualmente, os limites de Carl protegem a saúde financeira dele, e ele ainda consegue ganhar dinheiro nesse processo.

Uma bênção
para pessoas com a linguagem Davi

> *Vemos Deus em você enquanto o observamos nos inspirar e guiar — você nos convoca a realizar aquilo que é possível. Tem o coração voltado para a próxima geração, recordando-nos do Deus de Abraão, de Isaque e de Jacó — do Deus que alinha as gerações. Importa-se profundamente com o que está à frente, mas, mesmo assim, não se esquece de quem seguirá os seus passos — você nos faz sentir importantes, como participantes de algo maior do que nós mesmos. Uma geração passa o reino para a outra, e você nos alerta para que não nos esqueçamos do Senhor, que é a fonte e o poder de tudo o que é possível. Você vê potencial em nós, despertando o melhor e o mais brilhante em cada vida, impulsionando-nos a prosseguir juntos no caminho de Deus.*

Passagens bíblicas
para a alma líder

Leia as passagens bíblicas a seguir, cada uma acompanhada de palavras para personalizar este exercício. Veja a passagem com a qual você mais se identifica. Então, leia-a calmamente em voz alta várias vezes, escreva-a e medite sobre ela até que possa memorizá-la. Pelos próximos dias, certifique-se de saber que você transmite o amor de Deus ao mundo de maneira significativa e que as Escrituras confirmam o seu modo de ser no mundo com relação aos recursos.

Meu objetivo é liderar com integridade financeira, sabendo que: "A boa reputação vale mais do que grandes riquezas; desfrutar de boa estima vale mais que prata e ouro" (Provérbios 22:1).

Tudo o que tenho vem da boa mão de Deus. Independentemente dos meus sucessos ou fracassos financeiros, confio sabendo que: "O Senhor é o meu pastor; de nada terei falta" (Salmos 23:1).

Quando se trata de dinheiro, liderança significa que: "Como vocês querem que os outros lhes façam, façam também vocês a eles" (Lucas 6:31).

Perguntas para reflexão
para pessoas com a linguagem Davi

- Como você se enxerga liderando outros financeiramente? Como isso o faz sentir?
- Quem mais em sua vida tem a linguagem Davi?
- Das principais características ou histórias de Davi ou de pessoas com a linguagem Davi, com qual você mais se identificou e por quê? Como você se vê à luz dessa característica ou história?
- Você tem algum conflito financeiro com alguém? Se tiver, como a sua linguagem financeira Davi pode ter contribuição nesse conflito?
- O que você planeja fazer de diferente com o seu dinheiro agora que entende a sua linguagem financeira Davi?
- Qual é a maior verdade que você aprendeu sobre a linguagem financeira Davi?

CAPÍTULO NOVE

O caminho para a saúde financeira

Quando você descobrir em si mesmo algo que seja um dom de Deus, deve tomar posse disso e não deixar que lhe seja tirado. Às vezes, pessoas que não o conhecem bem ignorarão completamente a importância de algo que é parte do seu mais profundo ser, precioso aos seus olhos e aos olhos de Deus [...] É aí que você precisa falar com o coração e seguir o seu chamado mais profundo [tradução nossa].[19]

HENRI NOUWEN

O caminho para a saúde financeira é o retorno ao senso mais profundo de si mesmo, que está enraizado e nutrido no amor de Deus. Boa parte do ensino financeiro começa do exterior e, às vezes, termina no interior. Se você chegou até este ponto do livro, já fez o árduo trabalho, de coração, de voltar-se à sua vida interior; então, quando considera o seu modo de lidar com dinheiro, você sabe por que age do jeito que age. Descobriu mais sobre quem é e sobre o modo como Deus o criou. Agora, pode ver além das noções tradicionais de que as pessoas têm de enquadrar-se em um molde financeiro específico e de que só existe um modo correto de pensar e de sentir-se quanto a dinheiro. A maneira como você se relaciona com dinheiro vem do modo como você se relaciona com Deus, do modo especial com que você foi estruturado por Deus para lidar com o mundo e com os recursos dele.

Entender que foi Deus quem o preparou para pensar, sentir e agir a seu modo financeiramente o encoraja a reconhecer a sua linguagem enquanto cresce e amadurece continuamente no modo como se relaciona com Deus e com o dinheiro. Uma vez que você aceita a sua própria linguagem, criará espaço para que outros sejam quem eles são, e você estará preparado para entendê-los e para lidar com eles de maneira a ampliar o seu, e o de outros, bem-estar financeiro.

Aceitação da sua linguagem financeira

Você é livre para aceitar sua linguagem financeira quando entende que nenhuma é melhor do que a outra e que Deus estabeleceu cada uma delas. Essa realização permite atentar aos próprios pensamentos, emoções e atos financeiros e discernir o modo como Deus o projetou e como espera que você cresça na sua relação com o dinheiro.

Por exemplo, hospitalidade, a linguagem Abraão, não é melhor que disciplina, a linguagem Isaque. Nem conectividade, a linguagem José, é melhor que liderança, a linguagem Davi. Todas as sete linguagens, com a força delas e as lições que nos ensinam, complementam-se na experiência humana; cada uma inspira a crescer e a amadurecer, e, juntas, elas compõem um retrato mais completo da imagem de Deus.

Visão geral das sete linguagens do dinheiro

Linguagem	Aspecto da imagem de Deus	Crença básica	Principal característica	Lado obscuro	Crescimento na saúde financeira
Abraão	Hospitalidade	O dinheiro deve ser usado para que os outros se sintam especiais e valorizados	Ama usar o dinheiro para presentear e para servir os outros	Autossuficiência: tem dificuldade de receber algo dos outros	Lembre-se de investir em si mesmo
Isaque	Disciplina	O dinheiro não pode ser desperdiçado, mas, sim, maximizado	Aproveita ao máximo cada centavo	Medo: teme que seus recursos se esgotem	Relaxe um pouco: planeje divertir-se
Jacó	Beleza	O dinheiro deve ser aplicado em experiências agradáveis	Aprecia usar o dinheiro para criar momentos belos ou para comprar coisas bonitas	Autossatisfação: gasta demais em coisas ou experiências desejáveis	Torne-se mais altruísta em suas despesas
José	Conectividade	O dinheiro cria conexões e abre portas	Usa o dinheiro para criar importantes contatos relacionais e parcerias	Manipulação: usa o dinheiro e os relacionamentos para atender aos próprios interesses	Aprenda a limitar a quantidade de compromissos financeiros
Moisés	Resistência	O dinheiro deve ser organizado cuidadosamente	Ama a organização financeira, os orçamentos e um bom plano	Impaciência: perde a calma com o desperdício e com a falta de planejamento	Crie um espaço entre você e as finanças; desligue-se e descanse
Arão	Humildade	O dinheiro deve ser usado para servir os outros	Preocupado com injustiças/necessidades, gasta para remediá-las	Instabilidade: não planeja as finanças nem lhes dá atenção	Resista ao ceticismo quanto ao planejamento financeiro
Davi	Liderança	O dinheiro é uma ferramenta para um novo futuro	Investe na próxima geração; líder financeiro	Egoísmo: esquece que o sucesso financeiro veio do trabalho em equipe	Estabeleça limites financeiros claros para manter a integridade

Minha experiência mostra que a maioria dos ensinos financeiros religiosos vem de uma análise profunda das linguagens Abraão, Isaque, Moisés e Arão. Você ouvirá muito o ensino da linguagem Abraão sobre o papel de contribuir, de forma hospitaleira, para os outros e para instituições religiosas, a fim de que obtenha uma bênção financeira ou espiritual em troca. As linguagens Isaque e Moisés falam sobre colocar a casa financeira em ordem, de modo a aproveitar o máximo de cada centavo, e a linguagem Arão pode fazê-lo sentir culpa por não contribuir com todo o seu dinheiro e por não viver sem planos financeiros para o futuro.

Cada enfoque tem um pouco de verdade. No entanto, aqueles que defendem esses pensamentos como "a maneira correta pela qual Deus quer que você lide com o dinheiro" não levam em consideração a diversidade do propósito de Deus. Não percebem que há sete maneiras diferentes e maravilhosas de adorar a Deus ao usar o dinheiro. Precisamos celebrar as sete linguagens porque Deus criou todas, e, somente quando elas trabalham em conjunto, teremos uma imagem plena do que significa ser verdadeiramente humano.

Nunca leríamos a história de Moisés esperando que ela imitasse a história de Davi, por exemplo. Lemos cada uma dessas histórias porque são especiais, mesmo que, de vez em quando, suas lições coincidam. Isso é verdade a respeito da nossa vida e é verdade a respeito das linguagens financeiras. Ainda que existam semelhanças entre elas, existe algo especial em cada uma. Em vez de nos sentirmos superiores ou inferiores pela maneira de usar o dinheiro, o que gera um conflito interior, devemos reconhecer as linguagens e ter compaixão uns pelos outros, vendo o agir de Deus de várias formas, ajudando-nos, uns aos outros, a crescer e a amadurecer. Isso leva à saúde financeira; isso resolve os conflitos financeiros. Devemos edificar uns aos outros em nossa força e apoiar uns aos outros em nossa fraqueza. Assim, podemos aprender uns com os outros, sermos responsáveis uns pelos outros e conquistar coisas maiores juntos.

Resolução de conflitos financeiros interiores

Como cada linguagem traz consigo qualidades e áreas de crescimento, luz e escuridão, e como agora você entende melhor cada uma delas, ficará cada vez mais ciente quando experimentar pensamentos e emoções conflitantes que surgem dos diferentes aspectos da imagem de Deus que agem em você. Todos temos de crescer em cada uma das sete linguagens, e cada tipo está presente em nós até certo ponto, por isso algumas situações parecerão mais desafiadoras do que outras quando se trata de dinheiro.

Geralmente, eu percebo quando o meu impulso de aproveitar os recursos ao máximo, típico da linguagem Isaque, entra em conflito com o meu desejo, dado por Deus, de sacrificar-me financeiramente em favor dos outros. Essa é uma virtude que todos podemos e devemos cultivar saudavelmente, mas ela é mais espontânea naqueles com as linguagens Abraão e Arão. Posso sentir um anseio, em meu ser, de abrir mão dos meus desejos e de sacrificar-me financeiramente em favor de outra pessoa, de outro projeto ou de outra causa, mas, mesmo assim, minha sensibilidade à linguagem Isaque frequentemente me leva a analisar a situação, garantindo que o beneficiário seja digno. As tendências da linguagem Isaque geralmente vencem. Quando sou mais cauteloso, considerando como as minhas tendências mais naturais podem estar sufocando outros instintos bons e piedosos, posso tomar decisões que reflitam a plenitude de quem eu sou e de quem espero ser, não somente a minha linguagem financeira original.

Também posso ser mais paciente comigo mesmo. Quando eu era mais jovem, acumulava culpa sobre a minha cabeça, achando que eu era somente uma pessoa gananciosa e egocêntrica. Aprendi a reconhecer minhas tendências à linguagem Isaque, as quais decerto podem agir e contribuir generosamente enquanto abro o meu coração para crescer em outras áreas. Podemos e devemos crescer em cada uma das sete linguagens do dinheiro.

Marian é um exemplo de alguém que aprendeu a integrar as linguagens do dinheiro para que possam trabalhar juntas. Ela se identifica profundamente com as linguagens Jacó e Moisés. Jacó representa a beleza, e a pessoa com essa linguagem pode tender a desdobrar-se para adquirir coisas que tragam prazer, uma experiência maravilhosa ou a beleza em geral para o mundo. Não seria a primeira inclinação de uma pessoa com a linguagem Jacó perguntar: "Quanto custa isso?", mas sim "Como eu posso conseguir o que quero?"

Bem, como mencionamos, a outra inclinação de Marian é para a linguagem Moisés, que representa a resistência, e pessoas assim baseiam-se em um orçamento bem organizado, garantindo que cada centavo se encaixe no seu devido lugar.

Quando Marian entendeu que ela se identifica mais com essas duas linguagens, isso a ajudou a entender sua relação com o dinheiro. Em suas próprias palavras, "Quando vejo alguma coisa que quero, seja uma obra de arte, seja uma música nova, seja uma calça *jeans*, seja uma oportunidade para assistir a uma nova produção da orquestra sinfônica, o meu coração começa a bater mais forte — eu fico realmente animada. Descobrirei uma maneira de conseguir o que quero, mas penso nos números o tempo todo; sei exatamente quanto dinheiro tenho na minha conta-corrente, quando eu recebo, e como fazer tudo funcionar. Antes de entender as minhas linguagens financeiras mais fortes, eu me sentia dividida por dentro. Agora, posso prestar atenção na minha vida e agir de modo responsável, que traga alegria para a minha alma sem prejudicar a minha situação financeira".

Marian aprendeu como as suas tendências às linguagens Jacó e Moisés podem equilibrar-se. Como está ciente de sua estrutura financeira, ela reconhece os pensamentos que surgem de cada uma. Tem a noção de que a parte forte da linguagem Moisés, o desejo de ordem financeira, ajuda a protegê-la do lado obscuro da linguagem Jacó, que pode destruir um orçamento em um instante.

Ao mesmo tempo, ela atenta para a sua sensibilidade à linguagem Jacó, que valoriza a beleza, a estética e a experiência, enquanto evita que as tendências mais rígidas da linguagem Moisés lhe tirem a alegria de viver. Estar ciente de quanto você se identifica com cada linguagem, assim como entender tanto os pontos fortes quanto o lado obscuro de cada uma, pode esclarecer por que você pensa, sente e age de certo modo na vida financeira.

Como entender melhor os outros

Conforme já vimos, o caminho para a saúde financeira envolve reconhecer como fomos singularmente criados, enquanto nos permitimos crescer e amadurecer quanto ao dinheiro. Não conseguiremos aceitar as pessoas como elas são, com suas linguagens financeiras peculiares, enquanto não aceitarmos a realidade de que somos amados profundamente e criados de forma surpreendente por Deus, mesmo em meio à nossa imperfeição. Como Jesus ensina, ame o seu próximo como *a si mesmo* — você nunca reconhecerá o que é especial no outro até que reconheça a sua própria identidade e o modo como Deus estruturou a sua personalidade (Marcos 12:31).

Quando vemos somente escuridão dentro de nós, vamos projetar essa escuridão sobre os outros. Nunca conseguiremos lidar adequadamente com os recursos que temos em mãos e com as pessoas com quem interagimos financeiramente até que reconheçamos o melhor de quem somos, até que enxerguemos Deus em nós mesmos e operando por meio do nosso dinheiro. Quando somos despertados para o amor de Deus, que nos desenhou de corpo e alma, o nosso coração fica livre para ver tanto a bondade quanto a beleza na imagem refletida à nossa frente e na pessoa ao nosso lado. Quanto mais enxergamos Deus no modo de lidar com dinheiro, mais o vemos operar no íntimo do nosso ser.

Quando você começa a entender a sua linguagem financeira, torna-se mais ciente de como as linguagens do dinheiro influenciam o comportamento das outras pessoas. À medida que você se permite reconhecer sua linguagem financeira e crescer enquanto aprende mais sobre o seu propósito especial, terá mais capacidade de sentir compaixão. Estará mais apto a colocar-se sob a perspectiva de outra pessoa, de um jeito que declare o modo singular com que ela se relaciona com dinheiro. Quando você fizer isso, terá mais capacidade de compreender, em vez de criticar, outras linguagens.

Entender a própria linguagem, e ter compaixão das demais, tem um papel muito importante na resolução de conflitos financeiros que você possa ter com outras pessoas. Esse é um componente essencial da sua própria saúde financeira. Se você está brigando por causa de dinheiro, há uma boa chance de alguém não ter conseguido enxergar a situação pela perspectiva da linguagem de outra pessoa.

Por exemplo, no início do nosso casamento, minha esposa e eu brigávamos todo sábado de manhã por anos. Aquele era, de qualquer modo, o momento mais conveniente que tínhamos de verificar nosso orçamento, localizar recibos e pagar contas. Vários finais de semana foram destruídos pelas farpas que trocamos ao discutir sobre o nosso orçamento. Depois de um tempo, percebemos que tínhamos a tendência de discutir a respeito de uma linha do orçamento em particular: os presentes dados.

Presentes dados era o atalho para identificar a quantia do orçamento gasta todo mês em presentes. Em alguns meses, o número precisava ser maior do que outros, pelo menos na cabeça de Elizabeth, porque tínhamos mais aniversários em nossa extensa família para comemorar. Eu estava bem convencido de que 25 dólares por mês era o suficiente para gastar em presentes se Elizabeth fizesse um bom planejamento, pesquisasse ofertas, fosse criativa em suas compras ou, mesmo, convocasse as crianças para fazer, por exemplo, presentes de aniversário para avós, tias, tios, primos etc. Afinal de contas, quem não gostaria de ser presenteado com uma obra de arte feita à mão por uma criança ou com um cartão de presente de cinco dólares acompanhado de um cupom de desconto de dez dólares em uma loja de sua preferência? Quer dizer, vamos ser criativos, certo? É um presente de 15 dólares que nos custa apenas cinco dólares. Com 25 dólares por mês, poderíamos dar cinco presentes desse tipo com um pouco de criatividade e planejamento!

Assim, você pode perceber como eu a deixava irritada.

Você deve lembrar que eu me identifico mais com a linguagem Isaque, a qual tenta aproveitar ao máximo as oportunidades com os recursos ao dispor. Se você der a pessoas assim 25 dólares por mês para gastar com presentes, elas descobrirão um modo de presentear todos aqueles que consideram merecedores e ainda fazer restar dinheiro, vão sentir-se muito bem com isso e, inclusive, colocarão aquele dinheiro extra na poupança. Minha esposa identifica-se com a linguagem Abraão. Com abertura e generosidade, ela presenteia os outros. Pensa pouco em si mesma e está sempre buscando entender como outra pessoa pode ter uma demonstração de amor e de apreço pela sua maneira de usar o dinheiro. Clássica pessoa com a linguagem Abraão, ela vai mergulhar em sua parte do orçamento e gastar esse dinheiro com outras pessoas, comprando roupas de presente quando ela precisa, de fato, de uma nova calça *jeans*.

Nem o meu desejo de maximizar nem o desejo dela de presentear os outros, mesmo abrindo mão de alguns desejos, tinha algo a ver com a nossa renda disponível — não tínhamos contas a pagar nem estávamos apertados de dinheiro, graças a Deus. Isso tudo tinha a ver com duas linguagens financeiras diferentes aprendendo a cooperar de forma harmoniosa no mesmo orçamento.

Quando uma pessoa com a linguagem Isaque e outra com a Abraão se reúnem para discutir as despesas com presentes, essa linha do orçamento pode tornar-se uma linha na areia, e, para aqueles conscientes, essa linha tem uma seta no final que realmente aponta, além dos números, para algo que mora fundo da alma de cada pessoa. Por muitos anos pensei que minha esposa estava sendo irresponsável, sempre precisando dar presentes extravagantes (segundo os meus padrões) para cada aniversário no universo conhecido. Ao mesmo tempo, ela pensava que eu era um estúpido de coração duro, insensível e indiferente no que se referia a dar presentes. Por que a minha mão era tão fechada? Por que ela estava sendo tão irresponsável? Apenas quando despertamos para o modo singular pelo qual Deus estrutura as pessoas em seu relacionamento com dinheiro que conseguimos chegar a algum acordo nessa área das nossas finanças.

Jean Vanier escreve:

> O coração maduro atenta ao que outro coração deve ser. Não julga nem condena. É um coração de perdão. Esse coração é um coração compassivo que percebe a presença de Deus em outros. Ele se deixa guiar por eles a um território desconhecido. É o coração que nos chama a crescer, a mudar, a evoluir e a sermos mais humanos [tradução nossa].[20]

A princípio, eu não conseguia perceber a obra de Deus na vida de Elizabeth pelo seu modo de usar o dinheiro, especialmente em relação a dar presentes generosos. Eu estava inconscientemente cego por minha própria linguagem financeira e por meu condicionamento, por meu lado obscuro e por meu treinamento financeiro. Quanto mais eu tentava convencê-la de que ela deveria adotar a minha linha de pensamento, mais brigávamos e menos desfrutávamos dos nossos sábados, e mais desanimada ela ficava quanto a dinheiro.

Apenas quando comecei a fazer-lhe concessões, quando comecei a perceber que o meu modo de lidar com dinheiro não era o único, é que passamos a brigar menos e a aproveitar mais os sábados. Começamos a conversar honestamente sobre o que pensávamos e sobre como nos sentíamos quanto a dinheiro

— os meus medos e os dela, os meus sonhos e os dela — e experimentamos uma compaixão inédita um pelo outro.

A minha linguagem Isaque inclina-se para a escuridão do medo, por isso eu queria economizar ou investir todo o dinheiro extra para dias difíceis, pensando que eu poderia não ter o suficiente quando precisasse. A linguagem Abraão de Elizabeth concentrava-se na ocasião especial à sua frente; seu coração abria-se para cada pessoa com a qual tivéssemos a oportunidade de comemorar algo. Ela não conseguia perceber como ter um orçamento que sempre estourávamos, mesmo que pudéssemos cobrir os excessos ao reformular outras áreas, deixava-me ansioso ao mesmo tempo que a deixava feliz.

Fizemos mais do que ceder aos desejos um do outro — tivemos compaixão um pelo outro. Eu não conseguia perceber que estava privando Elizabeth de uma das suas maiores alegrias na vida, e ela não conseguia perceber que tudo o que eu queria fazer era garantir que a nossa família se mantivesse estável financeiramente, tanto naquele momento quanto no futuro. Eu precisava fazer menos questão de guardar uma quantia mensal, gerando mais oportunidades para que Elizabeth expressasse o seu desejo de criar experiências importantes para os outros por meio dos presentes, e Elizabeth precisava entender que nunca haveria um orçamento de *presentes dados* robusto o suficiente para fazer o que ela queria, portanto, ela precisaria contar com limites estipulados e menos generosos. Ao entender as linguagens financeiras de cada um, e conhecendo o lado obscuro de cada uma delas, conseguimos crescer em entendimento e, finalmente, ter compaixão um pelo outro, celebrando e aceitando, em vez de irritar um ao outro. Esse entendimento ampliou o nosso senso de bem-estar financeiro; nós dois nos sentimos apoiados, e o nosso casamento foi fortalecido nesse processo.

Agora, você pode ouvir um de nós dizer ao outro: "Tudo bem, Abraão, vamos gastar um pouco mais aqui" ou "Isaque, nós já economizamos para as próximas férias por meses. Está na hora de parar de maximizar cada centavo que temos e de desfrutar um pouco". Isso comunica que entendemos o raciocínio do outro, mesmo se estamos pedindo que mude o curso. O que mais nos anima, agora, é que estamos começando a discernir o modo singular com que os nossos filhos lidam com dinheiro, e já que entendemos a sua origem, estaremos mais preparados para administrar o crescimento financeiro deles. No pequeno Seth, temos os ingredientes de uma pessoa com a linguagem Isaque, enquanto Seri parece andar pelo caminho de Jacó.

Deus trabalha em você e ao seu redor por meio das linguagens do dinheiro

O dinheiro pode ser um ponto de discórdia. A quantia sempre determina o poder, e o poder determina quem está certo e quem está errado. É por isso que precisamos entender as linguagens financeiras — a nossa e a de outras pessoas.

Reconhecer a sua linguagem torna-o mais confiante e tranquilo em qualquer situação financeira; permite que você aceite a sua relação com o dinheiro como uma parte boa da sua vida, especialmente a sua vida à luz de Deus. Quando reconhece a sua própria linguagem, por definição você se torna cada vez mais ciente de que ela é uma dentre sete e de que Deus opera de diversas e exclusivas formas na vida daqueles ao seu redor. Essas descobertas aumentam as suas chances de resolver tanto os conflitos financeiros internos quanto os relacionais, posicionando-o para uma maior experiência de saúde financeira.

Conclusão

Alguns assuntos são considerados pessoais e não são adequados a um discurso aberto em algumas situações, e o dinheiro faz parte dessa lista, possivelmente ao lado de religião e de sexualidade. Isso tem sido assim desde o início dos tempos; religião, recursos e sexualidade são as áreas em que mais nos esforçamos para encontrar sentido e realização. Então, em nossa cultura, não conversamos com frequência sobre dinheiro, exceto em alguns momentos, como quando vamos ao banco ou fazemos uma compra. Ou quando temos muito ou não temos o suficiente, e, nesse caso, geralmente, brigamos por causa dele.

Esse é o motivo por que entender a sua linguagem financeira é fundamental — é um elemento essencial para tornar-se completo, para experimentar a saúde financeira em sua vida.

Gosto muito de voltar à narrativa do jardim do Éden porque ela retrata os sonhos e os medos mais básicos da humanidade de maneira simples e poética. Afinal de contas, o livro de Gênesis refere-se ao princípio, à história da Criação que lemos para as crianças, e é a história que nos ajuda a entender quem somos, o porquê de nossa existência e o que é possível com Deus. O solo molhado de orvalho da Criação, em Gênesis 1, começa a lamentar-se enquanto a página se torna uma tragédia em Gênesis 3. Nessa passagem, os nossos sonhos são frustrados e descobrimos a razão de termos tantos problemas na vida; temos uma noção de que os problemas ligados aos recursos estão no âmago da nossa história de fé mais antiga.

Adão e Eva lutaram com a sua confiança nas promessas de Deus quando a serpente tentou-os com a ideia de que Deus escondia deles o conhecimento no fruto proibido e que, ao comer, eles se tornariam como Deus. Pela primeira vez, a humanidade considerou que o que tínhamos, tanto com Deus quanto com os nossos recursos, não era suficiente.

Depois de comer o fruto, Adão e Eva viram-se nus e ficaram envergonhados com seus corpos, conhecendo pela primeira vez um sentido de estranheza e de vergonha na sua sexualidade, alienados um do outro, culpando um ao outro. A história conta que a humanidade, a partir daí, trabalharia a terra, que dificultaria essa produção. Temos dificuldades com estas questões até hoje — obter os resultados que desejamos do nosso trabalho e receber por nossos esforços aquilo que achamos válido, constitui um problema tão antigo quanto o tempo. Esses conflitos estão no âmago dos nossos desafios relacionais, profissionais e religiosos.

Quando se trata dos nossos recursos, somos sempre guiados pela ideia de que não temos o bastante — essa foi a tentação original enfrentada por Adão e Eva. Às vezes, isso é verdade; desafios financeiros reais chegam à nossa vida. Com frequência, entretanto, essa ideia vem da crença de que *nós* não somos bons o suficiente. Damos ouvido às serpentes da vida, aqueles pensamentos assustadores e aquelas experiências que nos dizem faltar algo, que estamos jogando a vida fora e que Deus, insidiosamente, é o culpado principal dessa experiência de frustração, seja ela qual for. Veja a história. Ao acreditar que careciam de algo, e ao comer o fruto proibido, Adão e Eva começaram

CONCLUSÃO

a acreditar que faltava algo *neles*. Por isso, esconderam-se de Deus e brigaram um com o outro. Nossos relacionamentos com Deus, com os recursos e com os outros estão tão interligados que, quando sofremos em uma área, isso gera um impacto em todas as outras.

Então, escondemo-nos de Deus e, assim como o casal primitivo se escondeu nas árvores do jardim, buscamos o conforto escondendo-nos atrás do que temos. Ocultamos uns dos outros as partes vergonhosas de nossas vidas. Percebemos, ao fazer isso, que não conseguimos o que buscamos, e, com o passar do tempo, ficamos decepcionados e nos escondemos até de nós mesmos. Em toda a nossa busca, esquecemos quem somos, portanto, é quase impossível enxergar as pessoas como elas são.

Deus, porém, não nos abandona nesse esconderijo. Ele entra em nossa história, envolve-nos onde estamos e leva-nos ao futuro de uma Criação renovada. Participamos ativamente com Deus dessa jornada. Ele abre os nossos olhos e nos faz lembrar novamente o sentido da existência humana. Deus nos ensina, por meio da Bíblia e do Espírito Santo, o que significa relacionar-se adequadamente com os recursos, com o nosso dinheiro, e como fazê-lo de modo a enriquecer a nossa vida e a de outras pessoas.

À medida que crescemos em nossa consciência e em nossa maturidade, percebemos que não é mais dinheiro o que estamos procurando, mas estamos em busca de Deus. Somente ao entender que uma relação saudável com o dinheiro envolve um relacionamento correto com Deus, consigo mesmo e com os outros é que se experimenta o bem-estar desejado. O dinheiro passa a ser uma ferramenta para atingir o que desejamos e para fazer o bem neste mundo. O dinheiro, na tradição bíblica, é a matéria-prima que Deus usa para ensinar-nos a confiar, a amar, a servir uns aos outros e a restaurar a sua Criação. Ele nos convida a surgir — com uma perspectiva e com um estilo de vida centrado em Deus — como criativas e amáveis alternativas à cultura prevalecente, centralizada no eu e baseada, finalmente, no medo. Ele também nos convida a imaginar aquilo que é possível. Isso é, essencialmente, o resgate do melhor de nossas lembranças religiosas, do jardim do Éden.

A maneira como lidamos com os recursos fundamenta-se naquilo que imaginamos ser importante e no que pensamos ser possível. Se o uso incorreto dos recursos é a razão principal da história da Queda da humanidade no jardim do Éden, talvez a chave para restaurarmos o que se perdeu seja utilizando os recursos da maneira definida por Deus a cada um de nós. E, talvez, o modo como lidamos com os recursos seja um sinal que leve as pessoas de volta a tudo o que elas esperam ser possível, de volta a uma vida de amor com um Criador bom e atencioso e em direção à boa vontade com os outros. Quando cada um de nós reconhece a sua linguagem financeira, esse sinal torna-se bem mais claro, mostrando o caminho de volta para casa.

O que examinamos nesta breve jornada em direção ao entendimento de nossas linguagens financeiras, no entanto, é que Deus pode satisfazer-nos. Por isso, e pelo fato de sermos feitos à imagem dele, quando a nossa vida está pautada em Deus, somos realizados; somos mais que vencedores, portanto, tudo o que temos, muito ou pouco, não nos define. Nós definimos a nós mesmos.

Somos chamados para o campo aberto, para fora do esconderijo, e podemos trazer nosso modo de lidar com dinheiro para a luz. Quando acompanhamos a vida dos sete personagens bíblicos, percebemos que, nos momentos em que não tinham o que comer ou nos quais estavam rodeados de luxo, Deus operava em suas vidas, atraindo todas as coisas para o bem. Essa é a história, tanto na alegria quanto no medo, em que nos encontramos. É uma história na qual o nosso modo de usar o dinheiro, para o bem e para Deus, tem consequências tanto no presente quanto na eternidade.

- Pessoas com a linguagem Abraão usam o dinheiro para demonstrar o amor hospitaleiro de Deus.
- Pessoas com a linguagem Isaque, com a sua maximização disciplinada dos recursos, restauram o que está destruído, renovando todas as coisas.
- Pessoas com a linguagem Jacó chamam a nossa atenção àquilo que é verdadeiramente belo e trazem uma amostra celestial para a terra, usando o dinheiro de belas maneiras.
- Pessoas com a linguagem José conectam-nos com o que precisamos e quando precisamos.
- Pessoas com a linguagem Moisés fazem lembrar que o dinheiro pode comandar as nossas vidas se não administrarmos a nossa casa financeira com decência e organização, colocando Deus em primeiro lugar.
- Pessoas com a linguagem Arão recordam-nos do amor sacrificial e altruísta de Deus pelo seu modo de utilizar o dinheiro.
- Pessoas com a linguagem Davi motivam-nos, com esperança, em direção a um futuro melhor e levam-nos a usar o nosso dinheiro em favor de causas nobres.

Juntas, essas linguagens proporcionam uma imagem daquilo que é possível quando Deus opera em nosso dinheiro.

Ao longo do caminho rumo à saúde financeira, nossos olhos dilatam-se e ajustam-se a uma nova luz. Um fator de formação começa a desenvolver-se em nosso crescimento espiritual. Começamos a perceber que uma quantia maior ou menor de dinheiro não quer dizer mais ou menos felicidade. Entendemos que Deus nos criou de forma particular para trazer cura e restauração ao mundo pelo nosso modo de lidar com dinheiro. Somos convidados a confiar — a confiar que o modo como Deus nos criou é suficiente e que, enquanto dermos lugar ao crescimento, seremos edificados por Deus e devemos, portanto, edificar os outros em seu crescimento rumo ao que Deus preparou-lhes quanto ao dinheiro. Todos somos convocados a tornar o mundo mais belo, porque ele é bom. Deus o afirmou dessa maneira. E, quando vemos bondade em nossos relacionamentos e em nosso trabalho — e, sim, em nosso dinheiro —, temos a esperança de mudança, até mesmo em nossas casas e, talvez, em nossos corações. A saúde financeira está ao alcance conforme você cresce em sua linguagem financeira. Você pode ter a confiança e o conhecimento necessários para usar o dinheiro em honra a Deus de um modo que seja honesto com o seu senso mais profundo de identidade e que seja saudável na vida emocional, espiritual e relacional. Reconheça a sua linguagem financeira como um elemento básico da sua identidade, como um aspecto sagrado de quem você entende ser — uma pessoa à imagem de Deus que é parceira dele na administração de recursos, que ama os outros e traz esperança ao mundo.

Lembretes para discussões em grupo

Discutir sobre as linguagens do dinheiro com outros leitores enriquece o seu entendimento e ajuda-o a reconhecer a sua própria linguagem financeira enquanto enxerga melhor as alegrias e os desafios enfrentados por outros. Use estes lembretes para discussões em grupo, a fim de dar início ao assunto:

- Das principais características e histórias sobre a sua linguagem financeira, com qual você mais se identifica e por quê?
- Descreva a lembrança mais antiga que tem de sua linguagem financeira agindo em sua própria vida.
- Qual é a parte mais desafiadora de viver com a sua linguagem financeira?
- Se tivesse recursos ilimitados, o que faria com o dinheiro?
- Qual é o pensamento ou a emoção predominante ou frequente que você tem quanto a dinheiro? Gostaria que isso fosse diferente? Se sim, por quê?
- O que você gostaria que as pessoas entendessem sobre o seu modo de lidar com dinheiro?
- "O que me chateia com relação a dinheiro é quando as pessoas..."

- Como as pessoas podem apoiá-lo melhor em seu relacionamento com o dinheiro?
- Você experimenta algum conflito financeiro com alguém? Se sim, de que modo a sua linguagem financeira pode ter contribuição nesse conflito?
- O que você planeja fazer de diferente com o dinheiro, agora que entende a sua linguagem financeira?
- Descreva uma situação na qual consiga ver claramente a sua linguagem em prática.
- Descreva uma situação na qual consiga ver claramente o seu lado obscuro influenciar seus pensamentos, suas emoções e seus atos financeiros.
- Consegue lembrar-se do momento em que se sentiu mais confiante, seguro e tranquilo quanto a dinheiro? Descreva a situação.
- Você já sentiu como se Deus trabalhasse por meio de você, pelo modo como lida com dinheiro? Se sim, descreva a situação e o resultado.
- Qual é a maior verdade que você aprendeu sobre a sua linguagem financeira?
- Com qual linguagem financeira você tem mais conflito, e por que você acha que isso acontece?
- Consegue pensar em outras pessoas, na sua vida, que possam ter a mesma linguagem financeira que você? No que diz respeito a dinheiro, o que você mais admira nelas e o que é mais desafiador?
- Como você vê a sua linguagem financeira evidenciar-se no caráter de Deus? Por exemplo, se a sua linguagem financeira for Abraão (a hospitalidade), como você entende que Deus seja hospitaleiro?

Notas

[1] Leonard Fein, *Where Are We? The Inner Life of America's Jews* [Onde nós estamos? A vida interior dos judeus norte-americanos] (Nova York: Harper & Row, 1988), p. 198-199.

[2] Observa-se que os sete personagens bíblicos são homens. Essa é a tradição judaica; apesar das tentativas recentes de creditar a cada um dos tipos um exemplo feminino, considerando os propósitos desta leitura, e mantendo a fidelidade às tradições judaicas mais antigas, estes acréscimos, mesmo que úteis, não são essenciais. Assim como a imagem de Deus se manifesta tanto em homens quanto em mulheres, a imagem divina revelada na vida de cada personagem transcende o gênero e é anunciada no mundo de hoje por homens e por mulheres. Em outras palavras, o fato de os personagens serem homens não indica que a imagem de Deus seja revelada somente por homens e que, assim, as mulheres não devam ler este livro. A imagem divina revelada em cada pessoa é evidenciada por homens e mulheres e acessível a ambos. As lições aprendidas com cada um dos personagens não são tendenciosas nem se aplicam a um gênero em particular.

[3] Todas as metáforas são inerentemente restritas, o que também é o caso do termo *obscuro*. É importante entender que os conceitos de luz e escuridão são usados no livro para transmitir estados de

conflito que as pessoas consigam captar de um modo intuitivo, sem buscar tecer juízos de valor sobre dia e noite, sobre luz e escuridão efetivamente ou sobre cores escuras ou claras: tudo isso é bom e foi criado por Deus.

4. Embora nem todos que visitaram Abraão tenham sido tecnicamente, segundo seus costumes e seu entendimento teológico, classificados como estranhos, A. E. Arterbury observa que, na essência, a hospitalidade mediterrânea antiga envolvia proteger e cuidar dos viajantes durante as suas jornadas. A. E. Arterbury, *Entertaining Angels: Early Christian Hospitality in Its Mediterranean Setting* [Recebendo anjos: a hospitalidade cristã no seu cenário mediterrâneo] (Sheffield, Inglaterra: Sheffield Phoenix Press, 2008). Conforme propõe Amy Oden, aqueles considerados estranhos no Testamento Cristão, ainda que diferissem muito no que os qualificava para a sua designação, compartilhavam um ponto em comum: "Todos eles são populações vulneráveis". Amy G. Oden, *And You Welcomed Me: A Sourcebook on Hospitality in Early Christianity* [E vocês me receberam: guia da hospitalidade na igreja primitiva] (Nashville: Abingdon Press, 2001), p. 19.

5. Greg McKeown, *Essentialism: The Disciplined Pursuit of Less* [Essencialismo: a disciplinada busca por menos] (Danvers, MA: Crown Business, 2015), p. 23.

6. Robert D. Lupton, *Toxic Charity: How Churches and Charities Hurt Those They Help (And How to Reverse It)* [Caridade tóxica: como igrejas e caridades magoam aqueles que são ajudados (e como reverter isso)] (São Francisco: HarperOne, 2011), p. 141-142.

7. Esta narrativa apresenta preocupações sociais e de gênero óbvias para os leitores contemporâneos, particularmente relacionadas com incesto, poligamia e objetificação da mulher, questões que não preocupavam os ouvintes originais da narrativa como ocorre com os leitores de hoje, mas as quais merecem cuidadosa análise atualmente. De qualquer maneira, o amor de Jacó por Raquel é óbvio, e esse é o foco da nossa atenção no momento.

8. Leighton Ford, *The Attentive Life: Discerning God's Presence in All Things* [A vida cuidadosa: discernindo a presença de Deus em todas as coisas] (Downers Grove, IL: InterVarsity Press, 2008), p. 25.

NOTAS

[9] Joshua Shmidman, *Jewish Beauty and the Beauty of Jewishness* [A beleza judaica e a beleza de ser judeu] (*site* Jewish Action, The Orthodox Union Press).

[10] *Growing Good Corn* [Plantando milho bom] (Inspiration Peak, http://www.inspirationpeak.com/cgi-bin/stories.cgi?record=142).

[11] Henri J. M. Nouwen, *A Spirituality of Fundraising* [A espiritualidade da captação de recursos] (Nashville: Upper Room Books, 2010), p. 20.

[12] Como é interessante notar, José disse ao faraó que seus dois sonhos eram um único e que, como o sonho aconteceu duas vezes, estava determinado e Deus faria dele realidade. Os sonhos de José precedem os do faraó na narrativa. Mas, pelos mesmos critérios aplicados por José ao interpretar os sonhos do faraó, podemos deduzir que os sonhos de José eram um só e que Deus os faria acontecer. Isso poderia ter dado a ele a confiança necessária para se manter firme durante todos os percalços iminentes?

[13] Henri J. M. Nouwen, *Aqui e agora* (São Paulo: Paulinas, 1996), p. 30.

[14] Merwin A. Hayes e Michael D. Comer, *Start with Humility: Lessons from America's Quiet CEOs on How to Build Trust and Inspire Followers* [Comece com humildade: lições de discretos executivos de empresas norte-americanas sobre como construir confiança e inspirar seguidores] (Westfield, IN: Greenleaf Center for Servant Leadership, 2010), p. 5.

[15] Walter Rauschenbusch, *Christianity and the Social Crisis* [O cristianismo e a crise social] (Londres: MacMillan & Co. Ltd., 1920), p. 29.

[16] Conversa pessoal com o rabino Arthur Kurzweil no outono de 2014.

[17] Lister M. Matheson, *Icons of the Middle Ages: Rulers, Writers, Rebels, and Saints* [Ícones da Idade Média: governantes, escritores, rebeldes e santos] (Santa Bárbara, CA: Greenwood, 2012), p. 330.

[18] Ao mesmo tempo que as práticas comerciais da empresa Flow Automotive são conhecidas na comunidade, a destilação desses princípios foi registrada no Global Leadership Summit de 2014. Copyright 2014 Willow Creek Association.

[19] Henri J. M. Nouwen, *A voz íntima do amor: uma jornada da angústia para a liberdade* (São Paulo, Paulinas, 1999).

[20] Jean Vanier, *O despertar do ser* (Campinas: Verus, 2012).

Este livro foi impresso em 2023, pela Assahi,
para a Thomas Nelson Brasil. A fonte usada
no miolo é Chaparral Pro corpo 11,5.
O papel do miolo é pólen natural 70g/m².